LES
GRANDES
AVENTURIÈRES

Aline Apostolska

LES GRANDES AVENTURIÈRES

Stanké

Données de catalogage avant publication (Canada)

Apostolska, Aline, 1961-

Les grandes aventurières

ISBN 2-7604-0686-5

1. Femmes - Biographies. I. Titre.

CT3202.A66 2000   920.72   C99-941862-9

Infographie: Composition Monika, Québec

© Les Éditions internationales Alain Stanké, 1999

Dépôt légal: Bibliothèque nationale du Québec, 1999

ISBN 2-7604-0686-5

 Les Éditions internationales Alain Stanké remercient le Conseil des Arts du Canada et la Société de développement des entreprises culturelles (SODEC) de l'aide apportée à leur programme de publication.

Nous reconnaissons l'aide financière du gouvernement du Canada par l'entremise du Programme d'aide au développement de l'industrie de l'édition (PADIÉ) pour nos activités d'édition.

Les Éditions internationales Alain Stanké
615, boul. René-Lévesque Ouest, bureau 1100
Montréal   H3B 1P5
Tél.: (514) 396-5151
Télécopie: (514) 396-0440
Courrier électronique: editions@stanke.com
Internet: www.stanke.com

IMPRIMÉ AU QUÉBEC (Canada)

À ma mère Nikolina,
aventurière aux pieds d'argile

*Quand tu parviendras à Ithaque aux jours
de ta vieillesse, ne crains pas d'être déçu.
(...)
Ithaque t'a donné le beau voyage elle n'a
rien d'autre à t'apporter.*

*Sage comme tu l'es devenu après tant
d'années,
Tu auras enfin compris ce que signifient les
Ithaques.*

Constantin Cavafy

Du même auteur

Les Larmes de Lumir (Mots d'homme, Paris, 1986)

Étoile-moi (Calmann-Lévy, Paris, 1987)

Mille et Mille Lunes (Mercure de France, Paris, 1992)

Rites de passage (Messidor, Paris, 1993) (traduction des poèmes macédoniens de Katica Culavkova)

Le zodiaque ou le cheminement vers soi-même (série de 12 livres) (Dangles, Orléans, 1994)

La treizième lune (Batsberg/jeunesse, Paris, 1996) (avec Raphaël Weyland)

Lettre à mes fils qui ne verront jamais la Yougoslavie (Isoète/ Rivages d'Encre, Cherbourg, 1999, 1ʳᵉ édition et Leméac / Actes Sud, Montréal, 2000)

REMERCIEMENTS

*J*e tiens à remercier les personnes suivantes pour avoir cru aux *Aventurières* et avoir participé à la réalisation des projets radiophonique et littéraire:

Lise Garneau, Alain Stanké, Richard Cummings, Denis Pellerin, Marie-Diane Faucher, Évelyn Mathieu... et un clin d'œil tout particulier à Josette Stanké.

DES FEMMES DEBOUT ET EN MARCHE...

C 'est en ces termes que je parlais pour la première fois de mon projet à Lise Garneau, puis à Josette et Alain Stanké. Des femmes de cultures, de milieux, d'horizons et d'époques différents, qui ont en commun d'avoir marché «selon le regard de leurs yeux», ainsi qu'y invite la devise d'Alexandra David-Néel. Des obstinées qui ont été poussées de plus loin qu'elles-mêmes et ont laissé une empreinte bien plus profonde que le sillon de leur seule traversée terrestre. Des valeureuses qui ont, comme l'a écrit une auditrice, «ouvert pour nous la route de l'audace», au prix du risque, évidemment, au prix aussi, souvent, de leur confort ou même de leur bonheur, ou du moins, d'une idée du bonheur qu'elles pensaient devoir créer de toutes pièces, un «lendemain chantant» que leur seule naissance ne semblait pas pouvoir leur offrir.

Les vingt-deux aventurières racontées ici ont suivi un idéal, une vision du monde souvent imperceptible à leur entourage immédiat, et dont le recul historique nous permet aujourd'hui de mesurer l'ampleur et l'impact. Notre époque, volontairement coupée de ses racines, se trouve par là même en déficit de sens dont la démultiplication des moyens d'information ne semble pas pouvoir nous préserver. Seule la perspective historique nous assure de trouver une signification et une direction à notre vie individuelle ou collective. L'Histoire ne sert qu'à aujourd'hui, et à demain. Elle est tous les jours d'une cuisante actualité. En ce sens, ces vingt-deux aventures féminines constituent pour nous des repères, en plus d'être de «belles histoires»...

Parmi les chroniques qui ont été diffusées à l'antenne de la Première Chaîne de Radio-Canada, dans l'émission *Entre Terre et Ciel*, entre juin 1998 et juin 1999, j'en ai choisi vingt-deux. Vingt-deux seulement... Choix difficile imposé par des impératifs qui ne dénigrent en rien l'intérêt des récits qui, pour cette fois, ont été relégués dans l'ombre. C'est un choix personnel. C'est donc en soi, une exclusion. J'ai néanmoins sélectionné, ou exclu certaines personnalités, en fonction des réactions des auditrices et auditeurs qui pendant un an nous ont témoigné leur intérêt, leur étonnement et leurs encouragements. Le succès radiophonique de cette série a d'ailleurs été corroboré par le concours auquel de nombreux fidèles ont participé durant l'été 99. Voici donc réunies ici les *Aventurières* que j'ai retenues, en espérant que ce livre rappellera de bons souvenirs à certains auditeurs, et permettra aux lecteurs de découvrir, ou redécouvrir, ces femmes exceptionnelles.

L'Histoire, dans sa longue marche, a souvent laissé les femmes de côté. Je voulais, en cette époque de mutation, en donner une autre version, et raviver des facettes parfois méconnues ou oubliées. Si le lecteur en tire une version, une vision voire un enseignement, je tiens particulièremment à ce qu'il le fasse par lui-même, pour lui-même et à la lumière d'une lecture complète. Si la vie de chacune de ces *Aventurières* reste unique, seule leur réunion, leur voisinage, dans un livre comme celui-ci, permet d'y lire une histoire finalement cohérente, par delà les différences de siècles et d'environnements. Ad venture... *Ad venire* ... Comme Néfertiti, elles sont venues de loin, jusqu'à nous. Elles sont devenues, en tout cas, ce qu'elles n'étaient pas à l'origine et plus rien, après leur passage, n'est demeuré vraiment pareil. À chacun de nommer le fil qui les relie les unes aux autres.

Si je devais donner ma version des choses, je dirais d'abord que l'érudition n'est pas ce qui m'a poussée à entreprendre cette série sur les ondes de Radio-Canada, puis à récrire mes chroniques pour en faire ce livre. C'est la passion. Jamais je n'aurai autant lu de biographies et fréquenté autant de bibliothèques. Et, pour la première fois aussi, avec tant de passion. Si ces femmes n'avaient pas existé «pour de vrai», il aurait fallu les inventer. Mais un roman aurait-il respecté la densité et l'«invraisemblance» de leur vie?

Je ne peux pas oublier enfin que la série des *Aventurières* a accompagné ma propre migration vers le Québec et que ce livre sera le premier à paraître à Montréal. Montréal, c'est mon choix, ma traversée, mon aventure la plus récente. Celle que ne m'auront pas fait vivre mes parents mais que j'aurais, en revanche, imposée à mes enfants. Montréal, c'est mon Ithaque, du moins pour cette tranche-ci de ma vie. Qui, quoi, m'y attendait, et pourquoi? Je ne le savais pas. J'ai suivi une impulsion farouche. Et bien sûr, avec le recul, je n'oublierai jamais combien l'exemple de ces *Aventurières* a pu me rassurer dans mes nombreux moments de doute.

Nous reste-t-il aujourd'hui un espace d'aventure? L'aventure, aujourd'hui, est-elle intérieure, extérieure, immobile ou vagabonde, mystique ou profane, électronique, érotique ou mieux, amoureuse? Que nous reste-t-il à défricher, à cœur nu? Quel idéal dort en nous qui nous dresse, debout, au milieu de la nuit? Quel nom, quel visage porte-t-il?

Au fond, au bout de quinze mois de cheminement, à suivre les *Aventurières* sur les chemins de leurs quêtes, à découvrir aussi ce nouveau pays que j'ai choisi pour devenir peut-être le mien et celui d'hypothétiques descendants, il me reste ces questions. Des questions seulement. À chaque jour suffit son pas...

AMA ADHÉ

1932

La résistance tibétaine armée

E n mars 1999, les Tibétains, et leurs nombreux amis et soutiens mondiaux, ont commémoré les 50 ans de l'invasion chinoise du Tibet, et parallèlement les 50 ans d'exil d'une partie de leur peuple en Inde, principalement à Dharamsala, dans l'Uttar Pradesh – lieu de résidence du dalaï-lama et de son gouvernement – dans le Darjeeling et dans le sud Bengale. Nous avons l'impression de bien connaître la situation des Tibétains et sans doute l'information qui nous parvient est-elle exacte et fondée. Néanmoins, alors que le bouddhisme se répand dans le monde chrétien comme une pluie régénératrice, le sort des Tibétains, et en particulier l'avenir de leur culture et de leur jeunesse sont en péril, pire, réellement menacé d'extinction. De l'avis des intéressés eux-mêmes comme de celui des organisations mondiales, si rien n'est fait – et très vite! – le peuple tibétain rejoindra bientôt, dans nos livres d'histoire, les anciens Hittites, Mésopotamiens, Chaldéens ou Mayas. Il figurera au rang des grandes civilisations disparues dont l'Occident anthropophage se sera nourrit... Et rien ne semble devoir être fait en vérité tant les intérêts économiques avec la Chine semblent importants et destinés à se développer. Un changement ne peut venir que des peuples, et non de leurs gouvernements respectifs. Seul le peuple chinois, s'il évolue effectivement dans le sens qu'il semble prendre aujourd'hui, s'il retrouve ses racines bouddhistes, pourra pousser ses dirigeants à libérer le Tibet...

Néanmoins, dans ce difficile contexte, la résistance tibétaine a existé et existe toujours. Ceux qui croient que tous les Tibétains sont de gentils moines à l'esprit sacrificiel se trompent grandement. La majorité des Tibétains, même s'ils aiment le dalaï-lama comme leur père et se déclarent bouddhistes, n'en sont pas moins des laïcs héritiers d'une très ancienne civilisation de nomades guerriers. Cette résistance au sein du peuple porte un nom en particulier, et revêt l'image d'une femme exceptionnelle qui canalise l'esprit de résistance et de révolte populaire. Cette femme aujourd'hui âgée, et qui a consacré sa vie à défendre le Tibet, c'est Ama Adhé. Peu connue du grand public occidental, elle est vénérée par son peuple qui souvent, la sent plus proche de lui que ne l'est le dalaï-lama. C'est l'histoire, magnifique, difficile, périlleuse de cette femme que j'ai voulu faire connaître, tout en lui rendant hommage.

Ama Adhé décide effectivement de résister dès le début de l'invasion du Tibet par l'armée chinoise en 1949... Sa figure nous était inconnue, ou presque, jusqu'à ces dernières années, mais elle est amenée à prendre de plus en plus d'importance, principalement pour deux raisons. D'une part, le bouddhisme et l'aura du Tibet se sont progressivement répandus en Occident au cours du siècle. L'Occident semble avoir cruellement besoin du bouddhisme et c'est ce vide occidental qui l'oblige à considérer la tragédie tibétaine. Le dalaï-lama, chef spirituel et temporel tibétain, ne s'y trompe pas.

D'autre part, ce «vent bouddhiste» dissimule la réalité du peuple tibétain, celui qui vit au Tibet tout autant que la communauté exilée en Inde depuis 1959. C'est là tout le paradoxe: d'un côté la réalité du Tibet demeure très loin de nous, mais de l'autre, on a l'impression de bien la connaître, parce que les médias nous en parlent abondamment, toujours de la même manière et toujours d'une façon qui nous convient à nous, Occidentaux. Cette hypermédiatisation vient servir nos intérêts et combler nos propres lacunes en matière de religion et de morale. La vie d'Ama Adhé nous interpelle justement parce qu'elle raconte la réalité du peuple tibétain, ce qu'il était avant l'arrivée du bouddhisme au IXᵉ siècle, ce qu'il était avant l'invasion chinoise de 1949 et aussi ce qu'il est devenu depuis. Ama Adhé incarne la voix du peuple, par delà les clichés médiatiques, par delà l'aura des moines et des dirigeants politiques tibétains...

Au sein des institutions bouddhistes, et contrairement à ce que l'on pourrait en penser, être une femme n'est pas forcement un avantage. Le bouddhisme constitue une philosophie religieuse qui – non dans son fondement théorique mais dans sa pratique – est tout de même extrêmement masculine, en tout cas qui l'est devenue au cours des siècles, alors qu'à l'origine le peuple tibétain est un peuple guerrier, un peuple nomade mais surtout un peuple de tradition matriarcale, et non seulement matriarcale, mais matrilinéaire et matrilocal. Matrilinéaire signifie que les transmissions, culturelles comme matérielles se font par la mère, et matrilocal, puisque c'est souvent le mari qui vient vivre dans le clan de son épouse, et non le contraire comme c'est usuellement le cas chez nous. Ama Adhé témoigne de tous ces aspects. Elle apparaît comme un emblème à la fois des traditions tibétaines et de la vie traditionnelle du peuple de Kham.

Ama Adhé est née en 1932 dans les vallées du Kham, ce qui en tibétain signifie «le pays des fleurs». Pour nous, c'est comme l'évocation d'un rêve exotique. Les nomades chevauchant dans les plaines fleuries, poussant leurs troupeaux de yaks, au milieu des fleurs ou au milieu des neiges, selon la saison... À les voir aujourd'hui, persécutés, exilés, misérables, on en a oublié que les Tibétains sont à l'origine, et toujours sans doute, au plus profond d'eux-mêmes, non pas des cowboys mais des «yak-boys»! Au départ Ama Adhé était une *«yak-girl* du pays des fleurs», Ama Adhé Tapungsang, du nom de sa tribu...

L'attribution des prénoms et nom constitue une particularité qu'il me semble essentiel d'expliquer, parce qu'elle témoigne en soi de la culture tibétaine. Je voudrais vraiment préciser cela parce que moi-même, lors de mon séjour parmi les Tibétains en Inde, à l'été 1997, j'ai été rapidement interloquée par le fait que les membres d'une même famille ne portaient jamais le même patronyme. Il ne s'agit pas, comme dans notre société patriarcale, du patronyme paternel mais il ne s'agit pas non plus du patronyme maternel. En réalité, à la naissance d'un enfant, après une cérémonie plus ou moins divinatoire, lui sont attribués deux prénoms, dont la signification énonce les deux principales caractéristiques de sa personnalité. De plus, les prénoms étant majoritairement androgynes, on ne peut savoir à l'avance s'il s'agit d'une fille ou d'un garçon, et c'est normal puisqu'un prénom ne s'attache pas à attribuer un sexe, mais une qualité, un tempérament... En l'occurrence, les deux prénoms Ama Adhé réunis signifient «Mère éternelle», ce qui est très troublant lorsqu'on pense qu'elle est aujourd'hui considérée comme telle par son peuple; tout comme il est très troublant de savoir que les deux prénoms du dalaï-lama, Tenzin Gyatso, signifient «sage-vif argent»... mais on peut aussi se rappeler qu'il existe des milliers de Tenzin Gyatso, surtout depuis que celui-là a été reconnu dalaï-lama!

Outre les prénoms qui servent à l'usage quotidien, on possède un nom de clan, de tribu, lequel peut changer si l'on va vivre dans la tribu de l'époux ou de l'épouse. Ainsi,

Tapungsang signifie «les commandeurs de chevaux». Ce patronyme tribal renvoie à la fonction sociale du groupe. Sur ce plan aussi, l'histoire de la famille d'Ama Adhé Tapungsang reflète celle de l'ensemble de la tradition tribale tibétaine. Ainsi, lorsque les parents d'Ama Adhé se sont mariés, dans la famille de sa mère, il n'y avait pas de fils. Il est habituel dans ce cas-là que le mari d'une des filles vienne rejoindre la famille et prenne le nom de la tribu pour qu'il y ait quand même une descendance masculine. En fait, ce système assure l'équilibre de la société. Tapungsang, «commandeurs de chevaux», constitue donc le nom de la tribu maternelle que le père d'Ama Adhé a rejoint, et que son premier mari à elle rejoindra également plus tard.

Ama Adhé Tapungsang, «mère éternelle» de la tribu «des commandeurs de chevaux», tel est donc le karma qui lui échouait à la naissance, et c'est vrai que sa vie offrira une extraordinaire illustration de chacun de ces aspects. En grandissant, elle portera haut non seulement les traditions de sa tribu et de son peuple, mais également leurs croyances.

Le Tibet est le pays où le bouddhisme a pris racine le plus tard, mais aussi le plus profondément. On peut comparer cette situation à celle de son exemple diamétralement opposé, l'Inde, pays de naissance du Bouddha, au VIe siècle av. J.C., mais d'où le bouddhisme a très vite disparu jusqu'à être aujourd'hui plus minoritaire encore que le christianisme. Il faut attendre le IXe siècle et surtout le XIe siècle pour que le bouddhisme s'enracine vraiment au Tibet. Née en 1932, Ama Adhé est donc élevée dans une culture bouddhiste déjà très ancrée, et principalement organisée autour de l'institution religieuse et politique des dalaï-lamas depuis la fin du XIVe siècle (1391).

Mais, et c'est cela qui me semble si spécifique, les Tibétains ont opéré une sorte d'amalgame entre le bouddhisme et leur tradition *bön-po*, tradition principalement chamanique qui leur vient de l'ancienne religion *bön* antérieure au bouddhisme. Donc, ils ont conservé les aspects rituels et magiques, et également polythéiste, de la religion *bön*, en particulier parmi le peuple; le bouddhisme étant à l'origine surtout destiné aux moines éduqués et lettrés. Ama Adhé témoigne aussi de cet amalgame assez parfait, c'est-à-dire à la fois d'une culture nomade, de tradition ouvertement guerrière affirmée dans la lutte et dans la résistance aux éléments comme aux autres tribus, mais aussi de l'imprégnation progressive du bouddhisme.

Dans l'autobiographie qui vient de paraître en français, elle illustre très bien cet amalgame tel qu'elle l'a vécu dans son enfance dans les vallées du Kham. Commencer chaque réveil par la méditation et les offrandes sur les autels, rendre un culte au dalaï-lama, réincarnation de Chenrezi (nom tibétain d'Avalokiteshvara, qui, pour les bouddhistes, équivaut à une essence divine dont le dalaï-lama est l'incarnation), mais aussi accomplir des rituels magiques, organiser des cérémonies chamaniques pour demander une protection, etc. Dans ce livre, elle témoigne de la manière dont elle a été élevée: extrêmement libre, au sein d'une grande famille de plusieurs frères et sœurs. C'était une petite fille particulière. Au vu de son enfance, on imagine la résistante se forger aux côtés de son frère aîné dont elle est très proche et a pour passion la chasse, la pêche et les chevaux. Elle affirme un caractère bien trempé et des préférences pour des domaines assez masculins, encore que, comme je l'ai dit, les femmes dans le Tibet traditionnel avaient un rôle primordial. C'était elles, généralement, qui étaient les chefs de tribus. Elles étaient des cavalières, des femmes qui chassaient, qui chevauchaient et qui faisaient la guerre aussi. Il y eut également de grandes poétesses tibétaines, tradition qui a complètement disparu depuis l'arrivée du bouddhisme. Donc, ce caractère «masculin» n'est pas très étonnant dans sa culture, mais disons que le sien est peut-être plus affirmé.

Elle se marie à 16 ans, en 1948. Il s'agit surtout d'un mariage d'intérêt entre deux familles, comme c'est aussi assez courant dans leur tradition. À peine mariée, la situation du Tibet change brutalement avec l'invasion chinoise de 1949. Depuis le début du xxe siècle, et on le verra dans une autre chronique consacrée à Alexandra David-Neel, la Chine a eu des visées sur le Tibet et sur le Sikkim. Il y a eu plusieurs tentatives d'invasion qui ont toujours été repoussées, notamment par l'armée britannique qui cherchait ainsi à protéger les Indes, voisines du Tibet. Mais, en 1949, la Chine finit par envahir le Tibet et l'annexer en tant que province.

Le mariage d'Ama Adhé s'inscrit donc immédiatement dans la résistance. C'est dans ce sens aussi que son parcours personnel accompagne le cheminement même du Tibet, d'abord tel qu'il était dans son enfance, dans les vallées du Kham, dans la tradition *bön-po* originelle, et ensuite, le Tibet envahi par la Chine. Elle devient résistante immédiatement, l'année qui suit son mariage, très jeune, à 17 ans, avec une ferveur combative immédiate, qu'elle décrit elle-même comme quelque chose qu'elle se sentait obligée de faire, sans avoir réfléchi. On a vu que son enfance l'a portée à aimer la liberté, la chasse et les chevaux. Elle s'inscrit donc aussi dans ses propres désirs et ses propres capacités.

Elle n'est pas une résistante passive; au contraire, elle se révèle tout de suite très active, très engagée. Son mari, lui, est beaucoup plus effacé. Donc, c'est elle qui est au premier plan et qui décide immédiatement de constituer des réseaux, je dirais presque de guérilleros... Elle forme de véritables groupes de résistance armée. Sur ce point aussi, il serait bon d'abandonner nos idées reçues sur la non-violence tibétaine et sur le fait que les Tibétains seraient tous de doux moines, de doux lamas, tous non violents. C'est partiellement faux. Le peuple tibétain comprend une grande partie de laïcs qui nourrissent le désir de revenir à une culture séculaire, même s'ils sont tous bouddhistes – cela ne change rien. La notion de résistance existe chez ce peuple qui, quand même, depuis les origines, fut un peuple guerrier.

Il faut dire que les Tibétains eux-mêmes disent ouvertement que ce que la Chine leur a fait subir et les douleurs qu'ils ressentent aujourd'hui sont la rétribution méritée de leur karma collectif de peuple guerrier et envahisseur. Dans toutes les couches de la population tibétaine exilée, j'ai entendu ce même discours: nous subissions ce que jadis nous avons fait subir...

La notion de résistance, de se battre contre un envahisseur, en est une naturelle et qui a resurgi instantanément avec l'invasion chinoise. Récemment, plusieurs films, notamment *Sept ans au Tibet*, ont démontré qu'en 1949, les Tibétains se sont battus et auraient aimé continuer à se battre si, évidemment, ils en avaient eu les moyens et si l'Europe, par exemple, les avait aidés... Mais, même s'ils estiment aujourd'hui que leur karma collectif est entaché, ils n'ont jamais accueilli la Chine en se disant: «Bon! C'est ce qui devait arriver! Le Bouddha l'a voulu ainsi!» Pas du tout! Et Ama Adhé personnifie ce désir de résistance armée de façon exemplaire. Dès 1949, elle organise des groupuscules, elle organise autant les réseaux d'approvisionnement en armes que ceux de ravitaillement en nourriture. Comme elle connaît bien les régions puisqu'elle y a beaucoup chevauché, elle est aussi sur le terrain; dans les montagnes de l'Amdo, dans les vallées du Kham, elle est au centre de tout un réseau clandestin. On imagine cette femme, jeune, très jeune...

Elle mène cette résistance armée entre l'âge de 17 et 27 ans; elle finira par être emprisonnée par les Chinois en 1958. Donc, en 1958, elle a 27 ans. Entre 17 et 27 ans, elle a organisé toute une série de réseaux et l'on imagine facilement l'énergie de ce bout de femme, mère de deux enfants

AMA ADHÉ

qui lui seront enlevés lors de son emprisonnement et qu'elle n'a plus revus, avec un mari qui lui, est plutôt doux et dominé, mais qui la suit. Son mari sera emprisonné et mourra dans les camps, alors qu'elle, elle résistera encore. Elle est très volontaire, très décidée. Elle demeure le pilier de la résistance, même en prison. Ama Adhé, c'est l'histoire du roseau : elle ploie mais ne casse jamais, encore aujourd'hui... Je crois que si le peuple tibétain se réfère aujourd'hui à elle comme à une réincarnation de Tara, c'est que justement elle représente ce côté maternel, ce pilier féminin en relation avec leur culture profonde.

Elle survit dans les camps chinois de 1958 à 1987... C'est long!

Elle a personnifié la résistance à l'invasion chinoise et voilà qu'elle a aussi témoigné de l'horreur indescriptible des camps de travaux forcés chinois. Elle les a décrits dans son livre. On en a eu d'autres témoignages, car elle n'est pas la seule à avoir traversé l'enfer: récits de lamas, de nonnes, de tous ceux qui ont fui en traversant l'Himalaya au péril de leur vie. On le sait. Mais chaque fois qu'on se trouve confronté à un nouveau témoignage, à des traces physiques ou à un reportage, chaque fois, on sursaute: «Non! Ce n'est pas possible qu'on ait laissé faire! Ce n'est pas possible qu'on laisse faire! Ce n'est pas possible qu'en 1999, cela continue encore et que nous, on se contente de se nourrir de bouddhisme sans s'occuper de ce qui se passe vraiment pour les Tibétains!» Et pourtant...

Ama Adhé, effectivement, survit dans les camps. Elle est obligée de travailler dans les pires conditions, sous le soleil, dans la neige, avec des vêtements pas du tout adaptés ou sans vêtements parfois, pieds et mains nus... Elle assiste à des viols systématiques. Elle est elle-même l'objet de sévices, non pas sexuels mais physiques, des tortures physiques. Elle

25

assiste dans sa cellule à des stérilisations forcées, parce que, effectivement, la volonté des Chinois est d'exterminer le peuple tibétain: il ne faut pas qu'il puisse se reproduire.

Les Chinois mènent une politique double: d'une part obliger les femmes tibétaines à se marier avec des Chinois, de l'autre les stériliser de force. Ama Adhé a effectivement vu arriver des nonnes qui sont systématiquement violées, battues, auxquelles on interdit de pratiquer la religion, de parler le tibétain. Elle a été obligée de parler le chinois constamment. Entre elles, les prisonnières chuchotaient en tibétain la nuit, pour ne pas l'oublier. Elles n'avaient plus accès à aucune culture, à aucune littérature. Elles ont été complètement et d'un seul coup, – et c'est vrai tout autant pour les hommes, – détachées et coupées de leurs racines et de leurs sources tibétaines. Elle est aussi détachée et coupée de sa famille, de ses enfants qui vont grandir sans elle et qui vivent d'ailleurs toujours au Tibet. Son mari meurt dans les camps. Ce témoignage sur l'atrocité de la réalité des camps chinois est extrêmement poignant.

Ceci dit, Ama Adhé a quand même laissé beaucoup de traces de sa résistance. On compte également de nombreuses interventions d'Aministie Internationale et de certaines instances internationales. Elle devient encombrante. Mais, en 1987, elle a vieilli. Elle a 55 ans lorsqu'elle sort des camps. Elle est libérée et se retrouve à Lhassa, en pèlerinage. Elle affirme toujours sa religion bouddhiste et son désir, qu'on ne peut lui refuser, de faire un pèlerinage, comme la plupart des Tibétains, à Bodhgaya, le lieu où Bouddha a connu l'Illumination aux pieds d'un figuier, dans le nord-est de l'Inde. C'est le lieu de pèlerinage majeur des bouddhistes. Évidemment, cette autorisation lui est accordée mais les Chinois ont très peur qu'elle ne revienne pas. Ils lui tiennent un discours menaçant: ce serait très mauvais pour sa réincarnation si ses os devaient pourrir en Inde. Il faudrait qu'elle revienne. Ce qu'ils craignent surtout, c'est son témoignage. Néanmoins, elle part en 1988. Elle arrive effectivement à Bodhgaya, puis, de là, elle se rend à Dharamsala où elle est accueillie par le dalaï-lama et au sein de la communauté tibétaine, où elle va vivre comme le font les 120 000 réfugiés tibétains qui résident en Inde encore aujourd'hui. Le dalaï-lama lui a dit : «Racontez tout, toute la vérité. N'en dites pas trop, juste la vérité.» C'est donc ce qu'elle fait, avec la collaboration d'une journaliste américaine.

On peut dire aussi que sa fuite même constitue un ultime acte de résistance. Elle a d'abord cru, parce qu'elle y a vraiment cru, dans la droite lignée des valeureux guerriers tibétains nomades auxquels elle appartient, elle a cru que les Tibétains pouvaient résister par la force armée. Et puis, après, elle a quand même connu près de 30 ans de camp. Donc, elle s'est bien rendu compte au fil des années que la Chine était là, que la Chine serait là, que le Dalaï-lama n'y pouvait rien, que les résistances armées, finalement, étaient vaines. Elle dit que sa dernière tentative de résistance, c'était de penser qu'il fallait partir de là pour témoigner, pour que justement sa voix soit «*the voice that remembers*», c'est-à-dire «la voix qui se souvient», et qui par le monde, puisse témoigner et ne pas se laisser oublier. C'est ainsi qu'elle est devenue une référence pour cette résistance tibétaine, non seulement donc du Tibet, mais du Tibet en exil.

Son exemple prouve aussi qu'il peut s'exercer une forme de résistance tibétaine différente de celle que nous connaissons à travers le dalaï-lama. Le dalaï-lama est un être exceptionnel. Il prône évidemment la non-violence, mais c'est tout à fait dans son rôle. Depuis quelques années pourtant, il est obligé de prôner *the middle-way*; après avoir revendiqué le Tibet libre pendant près de 30 ans, il en est venu à demander que le Tibet soit une région autonome au sein de la Chine, parce qu'il n'a pas le choix, en réalité. Pour les Chinois, il n'est pas question de région autonome et encore moins de Tibet libre. Il n'empêche que depuis que le dalaï-lama prône le *middle-way*, 60,64 % de la population tibétaine en exil ne le suit plus, et en particulier au sein de la jeunesse; 70 % de la jeunesse, parmi ces 60,64 %, n'adhèrent plus à cette politique. J'ai lu dans la presse tibétaine en exil qu'ils se sentaient abandonnés et livrés à eux-mêmes. Il faut comprendre qu'il reste à peu près cinq millions de Tibétains au Tibet, qui résistent et meurent tous les jours, et qu'il y a 120 000 exilés en Inde, dont beaucoup de jeunes, qui reçoivent une éducation poussée mais sans issue. Ils ne peuvent ni retourner au Tibet ni s'intégrer en Occident et n'ont pas le droit, puisque c'est l'objet d'une convention entre le Tibet et l'Inde, de chercher à s'intégrer en Inde. Leur avenir semble être de vivre dans les camps, d'être fonctionnaires du gouvernement en exil, ou de devenir commerçants... Mais la communauté est petite et elle arrive maintenant à saturation.

La communauté exilée ne vit que de l'aide internationale et n'arrive pas à s'autosuffire. Le Tibetan Children Village (TCV) vit de parrainage, de dons pour les enfants. En définitive, c'est une communauté condamnée à disparaître, parce qu'on ne peut survivre à l'exil définitif... C'est vrai que la médiatisation du bouddhisme et du dalaï-lama, ce qui reste par ailleurs leur seule façon d'exister et de ne pas se faire oublier, cache cette sombre réalité, celle d'une disparition lente mais inexorable. Non pas que les Tibétains n'aiment pas le dalaï-lama – au contraire! Ils le considèrent toujours comme leur père, ils sont convaincus qu'il a raison, mais que ce qu'il prône est impossible. Ce sont les termes: «Il a raison! C'est lui qui a raison! Mais ce n'est pas possible.» La jeunesse, qui de toute façon n'a pas d'avenir, ne veut pas disparaître sans résister, d'où sa référence à Ama Adhé qui, elle, personnifie une forme de résistance, plus terrestre, plus active, plus en accord avec l'esprit du peuple.

Pour les Tibétains, Ama Adhé apparaît comme le pendant du dalaï-lama. Il représente le père non violent, bouddhiste, le sage qui a raison, même si cela ne correspond pas à leur réalité quotidienne. Et puis, il y a Ama Adhé; la femme qui est une espèce de mère guerrière, qui correspond à la réalité, au quotidien du peuple et non à celle des lamas. C'est cette double réalité qu'il me paraît important de saisir. On peut penser qu'elle a servi d'exemple à d'autres réseaux de résistance actuels. Ces jeunes Tibétains qui font la grève de la faim, ou qui s'immolent par exemple, même si cela n'aboutit sur rien de concret... Les intérêts économiques de l'Occident avec la Chine sont tels que cela ne peut suffire... De toute façon, la Chine a fait du Tibet sa base nucléaire. On le sait. Le gouvernement chinois a disposé ses missiles et coupé une grande partie des forêts qui bordent l'Himalaya et retiennent les eaux. La destruction de l'écosystème tibétain est aussi en marche.

Pendant l'été 1997, à Dharamsala, mon compagnon et moi avons rencontré des jeunes tibétains, et c'est par leur bouche que nous avons appris qu'une part de la jeunesse prônait la résistance armée et même le fait de devenir des *human bombs*. Au printemps 1998, on a appris dans la presse la grève de la faim de 120 jeunes Tibétains à Delhi, dont l'un s'est immolé. Quelques lignes dans la presse, quelques images furtives et puis le silence est retombé. On n'en a plus parlé. Je me souviens de cette phrase terrible de Labsang Tsering, qui est le leader actuel de la résistance armée: «De toute façon, quand une souris est devant un chat, elle sait qu'elle va être mangée. Alors, elle a deux solutions: soit elle ferme les yeux, soit elle se jette sur le chat.» C'est terrible, parce que de toute façon, elle sera mangée! C'est comme si le dernier espoir de résistance des Tibétains d'aujourd'hui était justement de se jeter sur le chat. Au moins mourir debout... Au fond, cet état d'esprit renvoie directement à la tradition tibétaine de résistance de ces tribus nomades, guerrières, chevauchant dans les vallées du Kham. Ces guerriers-là préféraient mourir dans la bataille que de mourir dans la non-violence et d'abdiquer. Alors, Ama Adhé représente cela, et on la reconnaît comme telle...

Elle reste bien sûr attachée au bouddhisme au quotidien. Les Tibétains qui ne sont ni moines ni nonnes, disent : «Le bouddhisme est un art de vivre.» Parce que ce n'est pas une religion en tant que telle ; il n'y a pas de notion d'un divin transcendant. Le principe fondamental, quotidien, terre à terre, du bouddhisme, c'est de faire le bien pour les gens autour de soi et d'améliorer cette vie-ci pour la prochaine. Le bouddhisme, à ce que j'en ai compris à travers le quotidien des Tibétains, c'est avant tout une philosophie de l'amélioration quotidienne de soi.

Aujourd'hui, Ama Adhé demeure une résistante, même si sa lutte a pris une autre voie. Après la parution de son autobiographie, elle a été invitée dans plusieurs pays européens et aux États-Unis. Elle a même été invitée à prononcer un discours devant le sénat français en mars 1999, ce qui est un fait exceptionnel, car le dalaï-lama lui-même n'a jamais pu être officiellement reçu par une instance gouvernementale française. Au moment où l'on parle tellement du Tibet, il ne faut pas oublier la réalité des Tibétains, ceux du Tibet et ceux en exil... définitif, en Inde.

Au nom de tous les siens, Ama Adhé, aujourd'hui âgée de 79 ans, incarne la voix de la mémoire...

GERTRUDE BELL

1868-1926

*R*eine du désert, c'est ainsi qu'on a surnommé Gertrude Bell.

Et il est vrai qu'elle en a ouvert des routes dans ces déserts alors inconnus des Européens qui pourtant les convoitaient... Sans elle, Lawrence d'Arabie n'aurait pu mener ses campagnes, Churchill n'aurait pas gagné la guerre et le roi Fayçal n'aurait peut-être jamais récupéré la couronne d'Irak.

La mémoire collective a retenu les noms de ces derniers plus que le sien et pourtant, au début du XXᵉ siècle, Gertrude Bell était aussi célèbre qu'incontournable. Tout comme Isabelle Eberhardt a suivi les pistes du désert algérien, Gertrude Bell a tracé celles des déserts du Moyen-Orient, de l'Irak jusqu'en Palestine. Comme Isabelle Eberhardt, elle a suivi une inspiration, qui s'est incarnée dans le désert mais également dans la culture arabe et musulmane. Cette lady victorienne fut une pionnière – c'est-à-dire première en tout –, ce fut une érudite, une femme de tête, une femme d'action et d'audace mais dont le talon d'Achille résida justement dans sa relation ambiguë avec le féminin et avec sa féminité...

Gertrude Bell naît à Londres le 14 juillet 1868, et rien dans sa famille d'industriels proches de la Couronne ne la prédispose à devenir ce qu'elle est devenue. La naissance de la petite Gertrude est annoncée, comme il se doit, dans le carnet mondain du *Times*. Son grand-père paternel, Isaac Lowthian Bell, est un éminent industriel d'un empire britannique qui, à l'époque, se trouve au sommet de son hégémonie économique et politique. La première exposition universelle a eu lieu à Londres quelques années auparavant, et la reine Victoria l'a abondamment visitée, affirmant par sa présence assidue, la puissance de son empire bâti sur l'industrie florissante du charbon et de l'acier, ainsi que sur l'étendue de ses colonies.

La famille est très riche. Thomas Hugh Bell, le père de Gertrude, est, comme son père, un ingénieur renommé. Sa mère, Mary Shields, fait partie d'une famille d'industriels alimentaires. L'avenir des Bell-Shields semble s'annoncer sous les meilleurs auspices. Pourtant, Gertrude n'a pas encore trois ans lorsque sa mère meurt en couches, donnant naissance à son frère Maurice. Par la suite, son père Thomas se remariera et aura deux autres enfants.

La petite Gertrude affirme très tôt son caractère. Dynamique, intelligente, ses biographes la décrivent également obstinée, empreinte de moralité, rompue à la discipline et au travail bien fait. À toutes ces qualités s'ajoutent le charme de l'exubérance, de l'humour, un sens précoce des jeux de mots qui feront plus tard sa réputation. Avec les années, elle développera deux autres traits de caractère, dont on imagine qu'elle eut grandement besoin pour accomplir ses grandes entreprises: l'ambition, sans mélange, et l'autorité qui, avec les années, prendra la forme extrême de l'autoritarisme.

Dès le départ en tout cas, elle ne passe pas inaperçue. Elle étonne, elle fascine, ou elle agace. La mort brutale et

précoce de sa mère a laissé en elle une fêlure qui, avec les années, s'agrandira à la dimension d'un véritable gouffre intime, jusqu'à sa fin tragique. Cette mort la rapproche de son
père. Hugh lui survivra après avoir été – on peut exprimer les
choses ainsi –, malgré ses nombreux amants, le seul véritable
homme de sa vie.

Elle reçoit une éducation de princesse parce que sans
doute on la destine à un beau mariage que tout, par son rang
autant que par sa personnalité, permet d'espérer. Elle s'initie
aux beaux-arts, mais aussi aux sports: monter à cheval,
nager, jouer au tennis, grimper partout, voilà qui augure de la
cavalière et de l'alpiniste qu'elle deviendra. À l'âge de cinq
ans déjà, elle parle deux langues, le français et l'anglais, auxquelles s'ajouteront l'allemand et l'arabe. Ainsi armée du
double bouclier de sa culture et de son ambition, on ne peut
dire qu'elle fut une femme ordinaire, à son époque tout autant qu'à la nôtre.

La fêlure, pourtant, étend très tôt son ombre. Comme je
l'ai dit, cette éducation la destinait principalement à un beau
mariage et, de son propre aveu, authentifié d'une certaine
façon, par la fin de sa vie, elle eut aimé «vivre une vie de
femme». Une vraie vie de femme, c'est-à-dire d'épouse et de
mère, telle que les valeurs victoriennes auxquelles elle adhé-
rera toute sa vie l'entendent et le recommandent. Elle qui
connut tout, sauf cette vie-là, se sentit-elle jamais femme?
Qu'alla-t-elle chercher, à dos de dromadaire, dans les déserts
brûlants, elle que les fées semblaient avoir comblée dès la
naissance? Que cherchait-elle donc, Gertrude Bell, que la vie
n'ait pas mis à ses pieds? La même question se pose pour elle
que pour son compatriote et ami Sir Lawrence d'Arabie: que
cherchèrent-ils, que trouvèrent-ils, qui les poussât si avant
dans les arcanes du *fatum*?

Retrouvons-la au sortir de l'adolescence. Si Gertrude Bell fut une pionnière, elle le fut d'abord en Angleterre, dans le désert certes mais tout d'abord dans les hémicycles des universités. En 1886, à l'Université d'Oxford, s'ouvre un pavillon réservé aux jeunes filles, le Lady Margaret Hall. Accompagnée de son amie Mary Talbot qui accompagnera toute sa vie, Gertrude s'y inscrit dès l'inauguration. Elle est brillante. Dès l'année suivante, en 1887, à 19 ans, elle remporte le Premier prix d'histoire moderne, devenant ainsi la première femme diplômée d'Oxford. Là aussi, elle ne passe pas inaperçue. Elle fascine et elle agace.

Oxford lui apporte un certain statut, mais aussi autre chose qui à partir de ce moment, deviendra une autre de ses caractéristiques. En arrivant à l'université, elle se désintéressait à peu près totalement de son apparence. Entourée d'hommes, elle découvre tout à coup qu'elle n'est pas belle. Trop petite, trop maigre, sans charme physique. Son apparence n'est pas à la hauteur de ses atouts intellectuels. Elle découvre les artifices qui lui permettront de remplacer cette disgrâce par l'élégance et le raffinement. Elle se prend de passion pour les vêtements, les tissus, les toilettes, les fourrures, les parfums. La recherche et l'exubérance vestimentaire constitueront l'une de ses plus sûres cartes de visite. Même dans le désert, même habillée en bédouin, elle frappera toujours les esprits par sa mise élégante et recherchée, ses gants, son ombrelle, ses robes innombrables. D'Oxford sort donc une femme nouvelle, diplômée et élégante. Le poussin s'est transformé en aigle. Elle est prête à l'envol.

À partir de 1888, elle entreprend ses premiers grands voyages et d'emblée, choisit le Proche-Orient. Elle part pour Constantinople, puis pour l'Iran où l'attend son premier – et inoubliable – grand amour. Elle a 20 ans.

Le jeune homme s'appelle Henry Cadogan. C'est un jeune diplomate britannique en poste à Téhéran. Il l'initie aux charmes de l'Orient, et aux charmes de la vie en général. À ses côtés, Gertrude découvre les langueurs et les douceurs orientales, le charme de la poésie arabe et des nuits étoilées dans le désert. Ils rêvent. Ils échafaudent les plans d'un avenir baigné par les douceurs orientales et le raffinement de la civilisation musulmane pour laquelle Gertrude se prend vite de passion. Loin, très loin, des rigueurs anglicanes de son enfance, l'Islam revêt à ses yeux, à son cœur et à son âme, les couleurs de l'idéal.

Hugh Bell ne l'entend pas du tout de cette oreille. Diplomate, Henry Cadogan, n'en est pas moins joueur et endetté. Le père de Gertrude rêve pour sa fille aînée d'un mariage autrement plus honorable. Il s'oppose catégoriquement à leur union. Désespérée, pensant pouvoir influer sur la décision paternelle, Gertrude rentre à Londres. C'est là qu'elle reçoit, en 1893, l'horrible nouvelle: Henry est mort noyé. Est-ce un accident, ou bien un suicide, le télégramme n'en dit rien, et nul, jamais, ne pourra vraiment élucider ce mystère. La réaction de Gertrude est pire que tout ce que Hugh aurait pu imaginer: elle ne dit rien. Elle n'en reparlera plus jamais. Elle a 22 ans. Une deuxième fêlure s'ajoute à celle qui avait fracturé son enfance.

Elle se rue dans l'errance, et l'écriture, qui augurent véritablement de sa vie future. Bille en tête, elle entame sa vie de géographe, saluée par la très hermétique et masculine Société royale de géographie, de journaliste, de photographe, de découvreuse et de diplomate. Et d'écrivaine. Gertrude Bell écrira des livres mais traduira aussi les plus beaux poèmes persans découverts aux côtés de Henry Cadogan. Le grand poète Hafiz, mais aussi le beau poème d'amour mystique qu'est le Rubayat et dont on s'accorde pour dire qu'elle en donna l'une des meilleures versions. Dans la culture islamique, elle sent son âme vibrer de toute la dimension mystique qu'elle ne trouvait ni dans sa culture ni dans sa religion anglicane originelle.

L'errance aussi marque ses années, entre 1983 et 1899. De Bucarest à Padoue, de Prague à Berlin, et puis en France, où elle gravit des sommets... Le désert et les montagnes... Quelque chose, quelque chose de plus grand qu'elle, pousse, ou tire, Gertrude Bell vers le dépassement de ses limites.

En 1899, elle se rend à Jérusalem, alors possession ottomane. Dans ses carnets personnels, elle parle de révélation. D'abord, parce qu'elle est seule. Elle s'installe à l'hôtel. Elle aménage la suite qu'elle a louée pour pouvoir travailler, écrire ses articles et s'initier à l'arabe. À partir de 31 ans, elle va véritablement s'engager dans le désert. Montant comme un homme – débarrassée de ces selles d'amazone qui lui faisaient tant mal aux fesses, elle part rejoindre Damas, Palmyre et Beyrouth, par la piste, mêlée aux Bédouins. Ceux-ci d'ailleurs l'appellent *effendi*, parce qu'elle est très mince, très petite, très frêle et qu'avec ses habits larges, on ne sait s'il s'agit d'un homme ou d'une femme. Mais, tout comme Isabelle Eberhardt, elle n'a pas intérêt à révéler son sexe. Pour la première fois, elle va ouvrir des pistes et les répertorier soigneusement, pour le grand bonheur de la Société de géographie londonienne mais surtout, pour l'avantage de l'armée anglaise qui s'en servira pendant la Première Guerre mondiale. Elle est à ce moment-là journaliste-reporter pour le *Times*, et également photographe, journaliste et cartographe pour le *National Geographic Review*.

À 38 ans, en 1906, c'est l'écrivaine Gertrude Bell qui véritablement se révèle avec la parution d'un ouvrage majeur, *Le désert* et *les semailles*. Revenue à Londres pour la publication de cet ouvrage, elle devient vraiment célèbre, non seulement en Orient, en Syrie, en Arabie, en Mésopotamie et en Turquie, mais également chez elle, en Angleterre. Elle reprend naturellement sa vie mondaine qui, d'ailleurs, convient à maints aspects de son caractère. Élégante, drôle, cultivée, elle est constamment entourée d'hommes, dont de nombreux amants. Elle vivra ainsi toute sa vie, seule femme parmi les hommes, seule femme dans des sociétés masculines qui pour elle, et elle seulement, feront une exception à leur règle misogyne.

La place qu'elle prend dans le débat féministe en paraît d'autant plus étonnant. Et pourtant elle n'est pas féministe. Sa réaction reste strictement conforme et cohérente aux valeurs victoriennes et patriarcales de sa famille et de son rang social. Croire qu'elle put soutenir les féministes est contraire à ses convictions, mais révèle aussi toute l'ambiguïté de sa personnalité; sans compter que cette ambiguïté même révèle l'ampleur de ses fêlures intimes.

Ainsi, conformément au devoir des femmes de son milieu social, elle visite les quartiers pauvres et multiplie les œuvres bienfaitrices. Mais, en 1908, appelée à prendre parti au sein du débat sur le vote des femmes, elle s'engage délibérément au sein de la Ligue féminine contre le droit de vote des femmes, s'opposant farouchement aux suffragettes d'Emmeline Pankhurst. Elle déclare même publiquement que le rôle des femmes est de faire des enfants et qu'il revient aux hommes de gouverner les pays. Ce qui valable pour elle, Gertrude Bell, ne l'est pas pour l'ensemble de la gent féminine. Et d'ailleurs se mêle-t-elle de faire des enfants et de les élever? Non! On ne peut pas tout faire. Égale des hommes, elle l'est, parce qu'elle vit comme eux et avec eux. Et qu'elle en paie le prix. Elle ne s'en remettra jamais.

Lorsque la guerre éclate en 1914, l'Angleterre et la France espèrent reprendre possession de la Palestine, et d'une bonne partie du Proche-Orient qui appartient à l'empire ottoman. L'Angleterre y parviendra à partir de 1920.

Gertrude Bell retourne en Mésopotamie pour les besoins d'un nouveau livre. Rapidement, elle se trouve prise dans les guerres qui opposent l'armée anglaise et les clans arabes, et deviendra, selon ses biographes, le «cerveau». Elle connaît le désert et les tribus arabes beaucoup mieux que Lawrence d'Arabie. Son sens stratégique, son intelligence, son patriotisme aussi, lui seront particulièrement précieux. Et puis... il n'y a pas que cela. Tous deux sont fascinés par le désert. Le désert qui «est propre» comme l'affirmait Sir Lawrence. Le désert et ses nuits envoûtantes qu'ils apprécient en véritable symbiose, loin des pâturages du Kent où elle ne retournera plus, et auxquelles Lawrence ne pourra plus jamais se réadapter. En «vaisseaux du désert», du nom que les Bédouins donnent aux dromadaires, ils parcourent des centaines de kilomètres.

Gertrude Bell va tracer les cartes qui serviront lors des campagnes arabes de 1917 et 1918. Mais ce ne sont pas là les seuls services qu'elle a rendus à la patrie. Elle devient l'espionne de Churchill, rédigeant un rapport capital, *L'Autodétermination en Mésopotamie*, où elle trace le portrait politique et stratégique des différents chefs arabes. Muni de ce rapport essentiel, Churchill va en inspirer toute sa politique qui conduira à l'indépendance des États arabes, mais permettra également à l'Angleterre de récupérer la Palestine. Elle permettra ainsi au roi Fayçal, de retrouver sa couronne, en 1921, après la Conférence du Caire.

Fayçal que Gertrude Bell a tant aimé. Installée à Bagdad à partir de 1921, on la gratifie du titre prestigieux de «reine sans couronne d'Irak». Elle vit dans la meilleure société irakienne dont elle est le fleuron, dans sa vaste maison dont elle apprécie surtout le luxuriant jardin à l'orientale. Longtemps, son père, Hugh, vit à ses côtés. Mais Fayçal la quitte. Il doit fonder une dynastie. Il deviendra l'oncle d'Hussein de Jordanie, décédé en 1998.

Est-ce l'ombre qui finalement la rattrape? En cinquante ans, Gertrude Bell a accompli sa vie, et fait de son existence ce qu'elle avait souhaité en faire. Mais son entourage la voit de plus en plus souvent enfoncée dans une inhabituelle apathie. On l'entend dire qu'elle a raté sa vie, sa vie de femme, et qu'aucun glorieux souvenir ne saurait l'en consoler. Elle traîne dans ses jardins des après-midi entiers, en proie au doute et à la dépression.

Alors en ce dimanche 11 juillet 1926 accablant de moiteur torride, elle nage longuement dans la rivière qui coule au bout de ses allées fleuries. Trois jours plus tard, on fêtera son 58e anniversaire. Déjà la maisonnée s'affaire autour des préparatifs de l'immense *party* qui sera donné à cette occasion.

Gertrude Bell remonte l'allée et, épuisée par la baignade, décide de se coucher tôt. Elle prend une dose supplémentaire de somnifères et s'endort... définitivement.

ANNE BOLEYN

1507-1536

*A*nne Boleyn est célèbre... Tant de livres, tant de films ont raconté son histoire, en ce XVIe siècle anglais qui représente un tournant capital dans l'histoire de l'Europe occidentale telle que nous la connaissons aujourd'hui. Est-ce parce que pour elle, pour l'épouser, Henri VIII Tudor, alla jusqu'à se séparer de l'Église catholique romaine et à fonder l'Église anglicane, ou est-ce parce que son histoire, en définitive, reste une histoire triste et injuste? L'histoire d'une femme aveuglée par son ambition et son goût de la richesse, et qui n'a pas compris que l'homme qu'elle convoitait ne pourrait que la sacrifier comme, avant elle, il en avait sacrifié tant d'autres...

Au bout du compte, et malgré toute son ambition, Anne Boleyn apparaît comme une victime, un instrument de l'ascension sociale de son père et de sa famille, un instrument de la nécessité d'évolution de l'histoire. Si l'on se souvient d'elle aujourd'hui, est-ce parce qu'elle a gagné le titre royal qu'elle convoitait, ou bien parce qu'elle a perdu, la tête en l'occurrence, textuellement, sur un simple ordre de celui qui l'avait tant aimée? De toute manière, son histoire, sa terrible histoire, reste riche d'enseignements. Reste cette question dont

41

je ne parviens à faire l'économie: qu'allait-elle faire dans cette galère, Anne la fine mouche élevée à la cour de François Ier, femme intelligente et douée qui n'a pas vu venir l'orage... Lorsqu'on l'évoque, on la dit «pas très catholique». Il s'agit là d'un jeu de mots. Bien sûr, elle était catholique à l'origine, comme l'ensemble de son entourage, comme l'ensemble de l'Europe en ce début de XVIe siècle. «Pas catholique» cela veut étymologiquement dire «pas très régulière», un peu en biais, prête à tout pour forcer le cours de son destin... Elle mourra décapitée, et anglicane.

L'histoire commence en 1507. L'Europe se trouve au tournant d'elle-même. Sur l'échiquier politique européen, on trouve la figure omnipotente du pape Clément VII, oncle de Catherine de Médicis; Charles Quint – le célèbre Charles V (puisque Quint signifie cinquième) –, puissant neveu de sa tante Catherine d'Aragon, qui fut d'abord la femme du frère d'Henri VIII et qui, néanmoins, au moment où débute cette histoire, est devenue, à la mort de son premier mari, l'épouse d'Henri VIII. Catherine d'Aragon est donc reine d'Angleterre, épouse du jeune, fougueux et ambitieux Tudor; François Ier, bien sûr, l'incontournable, l'homme des alliances, stratégiques autant que financières, et donc inévitablement religieuses puisqu'à l'époque, la religion – et cela est une introduction pour la suite – cautionne les alliances militaires et financières. Henri VIII Tudor, dans ce tableau joue son rôle de géant roux d'Angleterre, le royaume des Angles. Au début du XVIe siècle, il se trouve d'une part en guerre avec l'Écosse et l'Irlande, mais d'autre part, il soigne ses relations avec son influent neveu espagnol et son non moins déterminant voisin français dont il a tout intérêt à faire un partenaire.

Anne Boleyn est issue d'une famille de drapiers, catholique et pauvre, la famille Boleyn-Howard, que rien à l'origine ne semble destiner au destin qu'elle va connaître, si ce n'est l'extraordinaire ambition du père, à laquelle tous les membres vont être soumis. Thomas Boleyn affiche en effet une farouche volonté d'élévation sociale, nobiliaire et financière, et à n'importe quel prix, jusqu'au prix le plus fort. Thomas Boleyn se révélera prêt à tout.

Avec sa femme, ils ont trois enfants : Marie, l'aînée, Georges, le cadet, et Anne, la benjamine. Marie est blonde, elle a les yeux bleus, le teint rose, elle est belle, bref, éminemment «bien mariable», selon les vœux paternels. Georges est un garçon et cela seul suffit à lui conférer une place irremplaçable puisqu'à tout père ambitieux il faut un fils. Et puis arrive Anne, la benjamine, qui dès sa naissance désespère ses parents. Elle est l'exact contraire de Marie. Elle est brune, très brune, sa peau est jaune et pour couronner le tout, si j'ose dire, elle souffre d'une malformation. Elle a six doigts à la main droite, et se trouve ainsi, dès le départ affublée d'une sorte de signe du destin. En la voyant ses parents s'écrient : «Mon Dieu! Qu'allons-nous faire de cette laideur?» En 1507, rien, évidemment, ne permet d'imaginer que cette laideur deviendra reine d'Angleterre!

Très vite, après une série d'intrigues bien menées qu'il serait trop long de détailler, Thomas Boleyn obtient le poste d'ambassadeur d'Angleterre à la cour de François Ier. Marie, Georges et Anne émigrent donc à la cour de France. Anne bénéficie d'une éducation exceptionnelle, faite de délicatesse, d'élégance, de musique, de littérature, de poésie, de danse... C'est l'époque où François Ier à l'issue de ses campagnes italiennes, introduit tout le raffinement de la culture et de l'architecture italiennes sur les bords de Loire, et Anne se trouve donc nourrie de beautés, de cette instruction complète et subtile qui fondera son maintien, son goût pour les tissus et les bijoux, sa connaissance de la musique, mais aussi cette connaissance du français et ces qualités oratoires qu'elle saura si bien mettre à profit.

Cultivée, raffinée, elle se révèle, de plus, intelligente et maligne. Très vite, elle comprend que son physique ne correspond pas du tout aux canons de beauté de l'époque. Maigre, elle transforme sa maigreur en grâce. Trop brune, trop anguleuse, le nez trop fin et trop long, elle fait oublier ces défauts par la recherche, la richesse et l'originalité de ses vêtements. Son caractère se forme sur le fait même d'être différente et méprisée. Sa capacité à transformer ses désavantages en atouts constitue sans doute l'un de ses principaux traits de caractère, la base de sa fulgurante ascension tout comme, *a contrario*, les causes de sa perte.

Revenue de la cour de François Ier avec sa famille vers 15-16 ans, Anne entre aussitôt à celle d'Henri VIII au titre de suivante de la reine Catherine. Elle est toujours aussi maigre, mais elle sait s'arranger, et elle est vite remarquée par un jeune homme, Henry Percy qui, après lui avoir promis monts et merveilles en épouse finalement une autre. Suivant l'exemple de Marie, sa sœur frivole et volage, elle aurait même cédé au jeune Percy ce qui ne fait qu'accroître son désespoir. Elle se sent d'autant plus humiliée que sa famille, loin de la consoler, la tient pour responsable du ridicule qui, par le biais de cette histoire, s'est abattu sur elle. Pour fuir le scandale, Anne se réfugie pendant une année dans une des propriétés familiales, en Écosse. De ce premier amour déçu elle profitera pour forger son caractère. Plus jamais elle ne se fera jouer pareil tour! Définitivement, à partir de ce moment-là, elle fait primer la raison froide sur le désir éphémère. Anne Boleyn est lucide, logique, déterminée. Désormais ses qualités de tête constitueront les pierres angulaires de son existence.

À 17 ans, revenue auprès de la reine Catherine, elle est remarquée par Henri VIII; elle a des cheveux très longs, sa peau est moins jaune, et puis, elle est vraiment très spirituelle et cultivée. Donc, parmi la nuée des suivantes de

Catherine, Anne Boleyn – que par ailleurs on appelle de son nom français, Nanne Boulin – subjugue l'insatiable Tudor, beau jeune homme à la libido exigeante que sa femme, beaucoup plus âgée que lui, ne peut suffire à combler. Les aventures du géant croqueur de femmes sont multiples et innombrables, et ne se nouent ni dans la clandestinité ni dans le secret. Catherine se sait trompée, avec ses suivantes, avec ses servantes, avec tout ce qui porte jupon à la cour d'Angleterre, c'est dire l'importance des tentations auxquelles Henri ne résiste pas. C'est dire aussi combien la véritable folie amoureuse que lui inspire Anne Boleyn, si fine, si raffinée, si différente de toutes les autres, constitue un fait inattendu dans son parcours. Un fait unique dont les conséquences dépasseront largement les limites et la durée de son seul royaume...

Avec cette passion mutuelle, tenue cette fois pourtant la plus secrète possible, se forge une histoire qui conduira à la scission définitive entre Églises catholique et anglicane mais également, à une longue série d'intrigues, de disputes et de guerres avec les autres royaumes d'Europe, en particulier avec le neveu Charles Quint très mécontent de voir sa tante bafouée par le Tudor pour les beaux yeux d'une petite suivante... On a peine à le croire aujourd'hui que l'Église anglicane a fondé sa différence théologique, mais à l'époque où la scission a lieu, il s'agit simplement pour Henri VIII Tudor, d'obtenir un divorce d'avec Catherine d'Aragon pour épouser Anne Boleyn. Elle a 17 ans, lui 31. Quant à Catherine, elle a dépassé la quarantaine.

Le pape refusant toute perspective de divorce, Henri VIII s'obstine, décidé à obtenir une dérogation par la persuasion et la négociation théologique et diplomatique ou, à défaut, par des pressions financières ou même, s'il le fallait, en se séparant de Rome, conservant alors à son profit la totalité des impôts ecclésiaux... Ses menaces paraîtraient-elles folles et inconséquentes, elles furent néanmoins mises à exécution, au point que certains, lorsqu'Anne Boleyn eut été décapitée, diront qu'Henri VIII avait déjà perdu la tête alors qu'elle-même savait encore la garder froide...

Enivré par Anne qui, pendant plus de sept ans, se refuse obstinément à lui, consentant à peine à dévoiler un sein, à concéder un baiser, le grand Tudor tente d'abord une bataille théologique. Auprès du pape, il plaide le respect d'un commandement de la Bible: «Tu n'épouseras point la femme de ton frère.» Grâce à une première bulle papale qui invalidait le mariage «non consommé» de son frère, Henri VIII a épousé sa veuve. Il se souvient soudain être en contradiction avec les Écritures et, même s'il l'est devenu avec la bénédiction de Rome, il y lit ici la raison de son absence de descendance mâle, bien sûr insupportable pour un roi. Le couple Catherine-Henri a eu sept enfants. Une seule fille légitime, Marie Tudor, a survécu et, des six autres enfants morts à la naissance ou en bas âge, trois étaient des garçons. Henri VIII y lit un véritable châtiment divin.

Peut-être la première erreur d'Anne Boleyn réside-t-elle là, dans le fait, inconséquent et quelque peu empreint de vanité, de croire que la bataille théologique d'Henri lui est exclusivement dictée par l'amour et le désir qu'elle lui inspire. Henri VIII, certes amoureux et la désirant, pense sans doute sincèrement subir le courroux de Dieu. Du moins s'en persuade-t-il... Et, plus que tout, il voit en Anne la mère du futur descendant que Catherine ne peut plus lui donner. Mener une telle bataille contre le Pape, et s'attirer les foudres de Charles Quint ainsi que les critiques de François Ier, ne peut se justifier que par un objectif supérieur, une raison d'État. Même très amoureux, Henri ne l'a certes jamais perdu de vue.

En l'absence de descendance mâle, il se met en tête de faire proclamer son premier mariage nul, c'est-à-dire «non consommé»... Après sept enfants, il s'agit sans doute d'une prouesse, un exercice de style qu'il confie d'ailleurs à ses meilleurs ministres, qui néanmoins échouent. Quant à Catherine d'Aragon, que peut-elle penser d'une telle trahison, de cette accusation publique d'infécondité? La question en tout cas, ne préoccupe guère Henri. Deux pôles centralisent son énergie: la conquête d'Anne et l'obtention du divorce.

Entre 1528 et 1532, Anne Boleyn ne devient pas l'amante d'Henri VIII. Elle n'agit plus jamais par hasard. Elle se refuse à lui, puisque de toute façon, il est entouré d'une nuée de maîtresses. Anne, elle, sa spécificité, c'est de danser, de discuter avec lui parce qu'elle lui parle énormément et étend une influence grandissante. C'est une femme de caractère, cultivée, doublée d'un vrai stratège politique. Elle lui prodigue moults conseils politiques, financiers... Mais son corps lui reste inaccessible et ce refus lui permet sans doute de conserver aussi longtemps son ascendant sur Henri VIII. Pendant ces sept années-là, Henri VIII essuie non seulement le courroux de Dieu, mais celui du Pape, tout à fait opposé à l'annulation de ce mariage; celui de Charles Quint, devenu Empereur germanique, et qui multiplie les pressions pour tenter d'éviter le divorce de sa tante; celui de François Ier enfin qui tremble à l'idée de voir l'Église d'Angleterre se séparer de l'Église romaine, parce qu'il en subirait évidemment les conséquences.

La relation entre Henri et Anne est néanmoins officielle. L'ambition de la famille Boleyn s'en trouve par-là même couronnée. Thomas Boleyn, lui qui détestait sa fille, se demandant bien ce qu'il ferait d'une «telle laideur», est anobli, tout comme son fils Georges. Thomas devient Lord Ruthford. Le 1er septembre 1532, Anne Boleyn obtient pour sa part le titre de marquise de Pembroke. Et malgré les innombrables imbroglios, nul ne doute plus que le roi trouve une façon de mener son ambition à bien. D'autant qu'Anne, après sept ans de résistance, est enceinte. Tous les courtisans, Henri bien sûr, mais surtout Anne elle-même, sont persuadés qu'elle porte le futur prince de Galles. Un mariage secret est contracté le 25 janvier 1532. Catherine et sa fille Marie sont destituées en 1533 et exilées dans un château lointain où elles vivent en résidence surveillée, dans un isolement et une misère indignes, dont Anne a sans doute la bêtise de se réjouir trop vite, trop fort, trop impunément. Catherine refuse néanmoins d'abandonner son titre royal, s'en remettant désormais aux soins de son neveu Charles Quint.

Néanmoins, Henri VIII fait déclarer leur union nulle et invalide. Quelques jours plus tard, le mariage entre Anne Boleyn et Henry VIII est déclaré bon et valide. Anne Boleyn s'aliène le peuple anglais qui se sent partagé entre Anne, reine d'Angleterre, et Nanne, la «Putain du roi», ainsi qu'il le crie sous ses fenêtres... Le 1er juin 1533, fils au ventre et couronne en vue, elle se présente à son couronnement à Westminster. Le chemin a été long, difficile, périlleux. Anne croit enfin tenir sa vengeance. En juin 1533, elle se trouve véritablement au faîte de sa gloire, mais la chute s'annonce déjà, comme un acharnement du destin. Tous attendent un héritier. En septembre 1533, c'est une fille qui naît. Ce n'est pas un fils. Henri VIII ne la verra même pas, puisque dès qu'on le lui annonce, il s'en va et refuse de voir la mère et l'enfant. La petite Élisabeth qui vient de naître, et qui quelques décennies plus tard deviendra l'une des reines les plus célèbres et les plus fortes du royaume d'Angleterre, lui apparaît comme une nouvelle punition divine.

Henri VIII ne peut cependant revenir sur sa décision de rompre avec l'Église catholique romaine. Même s'il n'a pas eu son héritier, il désire devenir le représentant suprême de l'Église d'Angleterre, pour deux raisons majeures. D'abord, il ne veut plus jamais subir l'autorité du Pape. Le 4 novembre 1534, il fait voter par le Parlement l'Acte de Suprématie qui déclare le roi d'Angleterre chef unique et suprême de l'Église d'Angleterre, et ce statut reste encore valide de nos jours. D'autre part, cette rupture lui permet de s'enrichir, puisqu'il devient du même coup l'unique récipiendaire des redevances des Églises anglicanes. La scission ne se fait pas facilement. Les bûchers, les décapitations, les emprisonnements se multiplient en cette période. La Tour de Londres se remplit de sorciers, de sorcières, d'opposants ou simplement de ceux que l'on soupçonne de s'opposer au roi, ou d'ourdir quelque complot contre lui... Quiconque ose ne pas être d'accord avec la scission de Rome finit soit en prison, soit sur un bûcher. La naissance de l'Église anglicane se fait dans la sang.

Anne Boleyn connaît elle aussi une fin tragique.

Elle essaie évidemment, bien qu'Henri VIII ne la désire plus et se méfie d'elle, d'être à nouveau enceinte. N'y parvient pas. Puis y parvenant en 1535, elle doit renoncer après une deuxième fausse couche –, c'était un enfant mâle... De plus, Henri VIII s'est attaché à l'une des amies d'Anne Boleyn, Jeanne Seymour. Henri cherche un moyen de se débarrasser ni plus ni moins de sa seconde épouse. Anne Boleyn est convaincue de complot et d'adultère. Un comble! Mais Henri VIII n'a-t-il pas les coudées franches? Il peut divorcer à sa guise alors pourquoi chercher en plus à l'anéantir? Cinq chefs d'accusation gravissimes – inceste avec ses frères, adultère avec plusieurs personnes imaginaires et complot pour empoisonner le roi – pèsent sur elle. Évidemment, elle est condamnée à mort. Parmi les juges, se trouve Thomas Boleyn, son propre père. Et parmi les accusés, puisqu'elle est convaincue d'inceste, se trouve son frère Georges. Thomas Boleyn, en fin de vie, ayant atteint les sommets dictés par son ambition, se trouve à juger et condamner ses enfants, Anne et Georges, qui finissent tous deux décapités. Anne Boleyn est décapitée le 19 mai 1536. Elle est précipitamment enterrée au sein même de la Tour de Londres, sans funérailles officielles, anonymement, et sa tombe a d'ailleurs complètement disparu. Le lendemain de l'annonce de sa mort, Henri VIII se précipite et épouse Jeanne Seymour (le 20 mai 1536).

Henri VIII Tudor, (ayant inspiré la légende de Barbe-Bleue), a ainsi six épouses. De Jeanne il a finalement un héritier mâle, qui ne régnera pas. Marie Tudor régnera sous le nom de *Bloody Mary*, pour avoir tenté de rétablir l'Église catholique au prix d'innombrables massacres, mais c'est Élisabeth, ironie du sort, la petite Élisabeth, fille d'Anne Boleyn, qui deviendra la première grande reine anglicane, vénérée et adorée par son peuple. Élisabeth 1re restera célibataire et vierge jusqu'à la fin de sa vie, comme si elle avait tiré ses propres conclusions de ce qui s'était passé entre ses parents... Alors qu'elle réhabilitera son père, commandant même la pièce Henri VIII à Shakespare, elle ne fera jamais aucun geste à la mémoire de sa mère.

Ainsi la question de départ se repose: à quel moment Anne Boleyn perdit-elle la maîtrise légendaire qui lui avait permis de se hisser si haut, jusqu'au trône d'Angleterre? Jusqu'à ce titre de reine qui finalement lui fut enlevé pour celui, combien injuste de «putain du roi», alors que Catherine d'Aragon, à la faveur d'un remords d'Henri VIII, se trouvera réhabilitée à la fin de sa vie?...

Terrible destinée que celle d'Anne Boleyn. Elle n'avait aucune ambition religieuse et n'affichait pas de dévotion particulière. Elle n'a jamais voulu réformer l'Église, mais malgré elle, par ambition personnelle, elle aura quand même participé à l'un des épisodes les plus importants de l'histoire européenne, et de l'histoire religieuse.

ALEXANDRA DAVID-NÉEL

1868-1969

A lexandra David-Néel est plus que connue: c'est une grande vedette, et elle le fut déjà de son vivant. Ayant été la première «parisienne à Lhassa», son image, ses messages, ses écrits innombrables sont redevenus d'actualité au fur et à mesure que l'on a parlé du Tibet et du bouddhisme tibétain qu'elle-même avait, pour la première fois, fait découvrir à l'Occident, à une époque où celui-ci ne s'y intéressait que peu. Pour tout cela, elle fut une pionnière, contemporaine d'autres grandes pionnières telles que Gertrude Bell ou Isabelle Eberhardt.

Avec Alexandra David-Néel, on ose à peine parler d'un pays ou d'un temps, puisqu'à sa suite on traverse un siècle et on dresse presque l'état du monde tellement elle a voyagé. Cependant, elle n'est jamais allée en Amérique, n'a jamais été sensible à l'appel du *Go West*... Le souffle de sa passion, de son obsession, l'a poussée vers l'Extrême-Orient. Comme le disait son père, alors qu'elle n'avait que cinq ans, sa passion était véritablement une «passion jaune».

Elle naît en France en 1868, d'une mère belge et d'un père français. À sa naissance ses parents, mariés depuis fort longtemps, n'espéraient plus que le ciel bénisse un jour leur union. Sa mère a 37 ans, son père 56. Alexandra dira d'ailleurs ceci, se référant aux textes tibétains: «Pour ce genre de naissance tardive, les Tibétains croient qu'un esprit de l'air a été envoyé!» Se percevoir comme un «esprit de l'air» envoyé chez des gens peut sembler exotique et, *a posteriori*, tout à fait singulier. Mais du point de vue de l'enfant qu'elle fut, cela trahit certainement un sentiment d'étrangeté, de solitude, voire d'abandon. Cette grande voyageuse fut peut-être d'abord une étrangère au sein même de sa famille. Et peut-être le resta-t-elle jusqu'au bout même si, de cette médiocre donne de départ, elle fit un atout, y puisant sa force, son indépendance, son insatiable curiosité pour l'étranger et pour l'étrange, son incroyable capacité de raisonnement dénué de sentimentalité et de sensiblerie.

Enfant, elle affectionne la solitude. C'est une petite fille qui grandit entre deux parents vieux, qui ne se parlent pas du tout et n'ont aucun contact physique. Et elle-même n'a aucun contact physique avec eux. Toute sa vie, la passion voire le simple désir physique, lui seront étrangers. «Esprit de l'air», l'appel de la vie ne semble pas lui venir par le biais des sens. Tout cela la prépare à ce qu'elle nommera elle-même son «art de la fugue». Au cours de son enfance, c'est-à-dire respectivement à cinq ans, sept ans et quinze ans, elle fuguera, partant simplement avec son baluchon, pendant plusieurs jours. Bien qu'elle ait écrit toute sa vie, bien qu'elle ait tout raconté, y compris sa petite enfance, de ses fugues elle ne dira jamais rien, ou presque. Dans son autobiographie, le récit de ces escapades d'enfance tient en dix lignes d'une sécheresse quasi mathématique: «Je suis partie, je suis allée là, j'ai fait ceci, je suis revenue...» À chaque fois, le manque d'argent la ramènera à la maison, et ce sera ainsi jusqu'à la fin de ses jours. On la surnommera par la suite la «femme aux semelles de vent». Toujours cette affinité avec l'élément aérien, comme si elle n'était pas incarnée...

D'abord, elle a effectivement horreur du contact physique, du sexe et en particulier, du sexe des garçons, dont elle avoue qu'il l'horrifie. Si elle avait pu n'être qu'un pur esprit, elle en eut sans doute été soulagée. L'histoire de son mariage, le fait célèbre que son mari ait eu tant de maîtresses, conforte cet aspect de sa personnalité. Pourquoi serait-ce une tare d'ailleurs? Admettons simplement qu'il s'agit d'une caractéristique. Cette femme n'aurait pu trouver son accomplissement à travers la seule incarnation terrestre. Elle fut une intellectuelle, une cérébrale, qui dès son plus jeune âge se prit pour une autre passion, dévorante celle-là: la spiritualité, et même plus, la religion.

À la naissance elle est baptisée catholique, comme sa mère. À l'âge de sept ans, elle se convertit volontairement au protestantisme, choisissant ainsi la religion de son père. On ne peut éviter d'y lire une franche opposition à sa mère avec laquelle elle n'a véritablement aucune affinité, mais il n'en reste pas moins singulier qu'elle choisisse, encore si jeune, la religion pour affirmer sa contestation... Elle devient donc protestante nourrissant, dès l'enfance, une passion éclairée pour la spiritualité chrétienne. Elle connaît extrêmement bien les textes. D'ailleurs, elle fait sienne pour le restant de ses jours cette phrase de l'Ecclésiaste, qui devient sa devise: «Marche comme ton cœur te mène et selon le regard de tes yeux.» Elle prouve ainsi qu'elle a lu la Bible, lu, relu et annoté, parallèlement à d'autres textes religieux, depuis sa prime enfance. C'est tout à fait stupéfiant. Puis ayant intégré le christianisme, elle s'en dégage inexorablement. En tout cas, elle se met à interpréter le christianisme à la lumière du bouddhisme, auquel elle se convertit, sans véritable conversion rituelle, mais en s'affirmant néanmoins bouddhiste. À 19 ans, après de brillantes études et quelques nouvelles fugues solitaires, elle part pour Londres où, auprès de sociétés théosophiques qui se développent en cette fin de XIXᵉ siècle dans la capitale anglaise, elle plongera véritablement dans l'hindouisme et le bouddhisme.

L'année 1891 marque un premier tournant majeur de son existence. Alexandra David a 23 ans. Grâce à un petit héritage que lui donnent ses parents, elle part pour la première fois vers l'Extrême-Orient, en Inde. Elle y fait la rencontre de brahmanes et de sages hindous qui tous restent stupéfaits des connaissances de cette jeune femme en matière de spiritualité hindoue. Ce premier voyage constitue un éveil. Elle se rend en Inde mais surtout, se fait la promesse d'y retourner. C'est comme une intuition, comme si ce voyage de quelques mois avait été destiné à éprouver ses capacités à réaliser ses ambitions. À 23 ans, elle revient d'Inde avec la certitude tranquille d'y retourner, et même d'aller plus loin encore, le moment venu. Ce moment ne viendra pas si vite. À partir de 1891 commence ce qu'elle a elle-même appelé la «grande attente», comme si, pendant vingt ans, entre 23 ans et 43 ans, âge auquel elle repartira enfin, elle n'avait rien fait... Pour d'autres, ce qui pour Alexandra David n'était qu'attente constituerait une vie sacrément remplie!

Alors, que fait-elle pendant qu'elle «attend»? Tout d'abord, elle est très douée pour le chant. Elle passe des auditions et se trouve engagée comme chanteuse d'opéra. Elle aurait pu rester une petite cantatrice tout à fait anonyme. Non! Elle est remarquée par Massenet et devient première chanteuse à l'Opéra de... Hanoi, en Indochine! Tout simplement! Elle s'embarque en 1892, à 24 ans. Elle part sur un paquebot et à partir de ce moment-là, elle sera d'abord première chanteuse à Hanoi puis mènera une carrière de cantatrice sur les paquebots de luxe... En tout cas, elle voyage, elle voit du pays. C'est sa manière à elle de se préparer et d'attendre. Dans son autobiographie, elle raconte que le soir, effectivement, elle chante mais que toutes ses journées sont consacrées à l'étude des textes sacrés bouddhistes.

Ces croisières la mènent vers les colonies françaises d'Afrique du Nord. Au cours d'une escale, à l'âge de 25 ans, elle fait la connaissance d'un haut gradé de l'armée française, Philippe Néel, qu'elle épousera dès l'année suivante.

On a beaucoup écrit, pour ne pas dire jasé, sur la particularité de leur relation. À l'occasion de ce mariage, le tempérament lucide et raisonnable d'Alexandra David se révèle. Avant de consentir à devenir Néel, elle négocie son mariage chez le notaire, prévoie tous les cas de séparation, établit à l'avance le montant d'une pension, exige une clause de séparation des biens bref, envisage son mariage comme un entrepreneur envisagerait un rachat de société. M. David, le père d'Alexandra, est tellement stupéfait qu'un homme veuille épouser sa fille qu'il ne manque pas d'affirmer que Philippe Néel est un saint ou alors, un simplet!... Et Philippe Néel accepte tout. Le jour du mariage, il lance un «oui» tonitruant, comme pour s'encourager lui-même. À quel moment fut-il question d'amour, de sentiments, de romantisme et, pire, de désir, entre les deux époux? L'histoire ne le dit pas. Alexandra David devient Madame Philippe Néel.

Philippe Néel est beaucoup plus âgé que sa femme. Sa personnalité se révèle trouble et instable. Marié, il ne renonce pas vraiment à la vie de célibataire qu'il menait avant elle. Ils vivent dans une grande maison coloniale, en Tunisie, dans le faste des réceptions, des bals et des *party* de la meilleure société française de l'époque. Alexandra est une maîtresse de maison impeccable, organisée, souriante, volubile, et elle chante dans les réceptions. Elle est sans doute très utile à la carrière de son mari. Mais, en plus d'être la maîtresse de maison, est-elle la maîtresse, l'amante de son mari? Ils ne veulent pas d'enfants, ils n'en auront pas. Philippe Néel en revanche, multiplie les relations extraconjugales. Il a toujours autant de maîtresses qu'à l'époque de son célibat. Alexandra découvre vite cette réalité et, de son propre aveu, éprouve un dégoût absolu pour ce penchant à la luxure qu'elle ne comprend pas. Extérieurement, là encore, elle semble parfaitement maîtriser la situation. Elle négocie les ruptures avec les maîtresses de son mari. Combien veulent-elles pour cesser de le voir? Et bien soit, mais qu'on ne les revoie plus!... De sa souffrance, de sa profonde solitude, elle ne dit rien, ne dira jamais rien. Mais pendant les années d'attente de son mariage, elle aura été terriblement déçue par l'amour. L'amour qu'elle n'a jamais vu, ni senti, entre ses parents. L'amour auquel elle ne croit pas. Auquel elle ne croira plus. Vers la fin de sa vie, elle avoue quand même que cette intense souffrance la pousse à se convertir au bouddhisme, puisque le but principal du bouddhisme reste justement la délivrance de la souffrance. Elle s'y consacre entièrement.

L'année 1911 est celle du *grand tournant*. Entre 1898 et 1911, elle a déjà publié plusieurs ouvrages, mais le livre qu'elle publie en 1911, et qui constitue toujours une référence aujourd'hui *Le Bouddhisme du Bouddha* lui apporte une considérable notoriété. Elle est reconnue, célèbre en tant qu'écrivaine, en tant qu'orientaliste, en tant que spécialiste du bouddhisme. C'est véritablement, à 43 ans, la pierre angulaire de sa grande carrière d'écrivaine spirituelle. Par la suite, Alexandra David-Néel publiera 27 ouvrages de son vivant, des romans et des essais de très haut vol, tous consacrés à l'Asie et au bouddhisme; elle écrira une centaine d'articles, donnera des centaines de conférences; huit ouvrages paraîtront encore à titre posthume, par les soins de sa secrétaire et amie, Marie-Madeleine Peyronnet. Elle laisse donc une œuvre considérable, traduite dans des dizaines de langues sans compter que l'on n'a pas encore publié l'ensemble de sa correspondance.

En 1911 donc, elle est reconnue comme écrivaine et comme orientaliste. Et c'est évidemment à ce moment qu'elle estime soudain que sa vie n'a aucun sens. Elle a assez attendu. Elle s'est assez préparée. Elle a 43 ans. Le moment du grand départ lui semble enfin arrivé. À Philippe Néel elle l'annonce de façon presque laconique: «Je vais partir!» À quoi lui répond, tout aussi succinct: «Très bien! Combien de temps?» «Je ne sais pas, dit-elle, mais n'est-ce pas toi qui m'as recommandé de faire un grand voyage?» Tout est dit. Elle prépare ses bagages. Et négocie une pension. Elle ne reviendra que 14 ans plus tard, mais bien sûr, ni lui ni elle surtout, ne le savent à cet instant. Ils ne se reverront que 14 ans plus tard mais pas un jour, au cours de cette longue séparation, Alexandra n'omettra de lui écrire.

Il existe entre ces deux êtres particuliers, unis par une relation non moins particulière, une fidélité véritable, une fidélité intellectuelle, cérébrale, mais une fidélité indécrottable. Surtout de la part d'Alexandra. Mais cela non plus elle ne le sait pas encore. Un lien subtil les unit, peut-être impossible à comprendre pour la plupart d'entre nous, une sorte de fil invisible que le goût de l'ineffable d'Alexandra la porte sans doute à exalter sinon à idéaliser. Tout ce qu'elle raconte sur l'Asie de ce tournant du XXᵉ siècle elle l'écrit d'abord à Philippe Néel. Il faut qu'il soit là pour qu'existe cette transmission dont nous sommes aujourd'hui les bénéficiaires. Sans lui, évidemment, elle n'aurait jamais accompli tous ces voyages, ne serait-ce que financièrement. Leur relation ne fut pas physique, sans doute consommée mais pas véritablement incarnée. Et elle n'est plus physique puisqu'ils sont tous deux morts aujourd'hui. Mais il reste de leur relation ce quelque chose d'unique et d'exceptionnel, ce quelque chose de plus grand que l'homme, qui sont justement ses voyages débutés en 1911, ainsi que l'enseignement qui nous en est parvenu.

Le principal exploit d'Alexandra David-Néel, celui qui l'a rendue mondialement célèbre, c'est bien sûr sa traversée de l'Himalaya à pied et son arrivée clandestine dans la capitale interdite du Tibet, Lhassa. Mais cela n'arrivera que bien plus tard, au terme de plusieurs tentatives infructueuses. Elle mettra 12 ans, de 1911 à 1923, pour parvenir à Lhassa. Entre-temps, fidèle à son expression elle «attend», c'est-à-dire qu'elle sillonne inlassablement l'Asie.

En 1911, elle s'embarque à Marseille pour effectuer le parcours Marseille-Ceylan puis Ceylan-Inde. Enfin revenue là où elle s'était promis de retourner, elle cède à sa fascination pour l'Inde. Elle y reste relativement longtemps – pendant une année, voyageant de Bombay à Delhi, de Calcutta à Bénarès, puis du Darjeeling elle arrive au Sikkim, région qui, d'une certaine manière, représente l'antichambre du Tibet. Elle arrive au Sikkim en avril 1912 avec un objectif précis : elle sait que le 13e dalaï-lama passera par le Sikkim sur sa route vers Lhassa. Personne jusque-là n'avait rencontré le dalaï-lama. Voilà qu'une femme, alors que le bouddhisme n'est pas particulièrement propice aux femmes, et une femme française bouddhiste, alors qu'aucun Européen jusque-là n'était bouddhiste, décide ni plus ni moins d'aller rencontrer celui qu'elle appelle le «pape jaune». Et elle y arrive! Cette rencontre tout à fait exceptionnelle l'enchante, autant qu'elle stupéfie le dalaï-lama, médusé de trouver sur sa route une bouddhiste européenne qui connaît les textes sacrés presque aussi bien que lui!...

Néanmoins, entre 1913 et 1923, elle doit encore ronger son frein. À cette période, au Sikkim, succède ce qu'elle-même va appeler le «grand vagabondage». C'est vrai que là, on dirait vraiment *a rolling stone*, c'est-à-dire qu'elle est poussée par le vent, par la mer et par le voyage. Elle-même, dans ses écrits, s'interroge sur le sens de cette errance. Un événement essentiel intervient néanmoins lors de ce grand vagabondage : en 1913, Alexandra David-Néel embauche un boy qui à l'époque a 14 ans, alors qu'elle en a 45, le jeune Tibétain Yongden qui deviendra son célèbre compagnon de voyage, celui grâce auquel elle pourra atteindre Lhassa, et deviendra son fils adoptif avant de retourner avec elle en France. À partir de cette date, elle n'est plus seule. C'est parce qu'ils seront, lui très jeune et Tibétain, et elle, beaucoup plus âgée se faisant passer pour sa vieille mère malade, qu'ils pourront faire le voyage en toute clandestinité vers Lhassa. Pendant plusieurs années, elle vivra à Kum-Bum, en ermite dans une caverne au milieu de la neige, écrivant toujours à Philippe... Et enfin, en octobre 1923, elle se décide à partir avec Yongden, vers Lhassa, cité interdite où aucun étranger n'était entré depuis 1792.

Cet incroyable voyage dure plus d'un an et demi, un an et demi à pied, traversant l'Himalaya. Elle en fera son récit le plus populaire: *Voyage d'une Parisienne à Lhassa*. Alexandra David-Néel est déguisée en Tibétaine, à moitié folle, c'est-à-dire qu'elle parle tibétain couramment, bien sûr, mais elle se noircit la peau, s'habille comme une paysanne, imite la folie pour éviter d'avoir à parler et à s'expliquer. Yongden pour sa part, joue le rôle du fils qui emmène sa pauvre mère à moitié folle en pèlerinage à Lhassa. Ce sont des souffrances, des horreurs – marcher les pieds presque nus dans la neige, franchir des cols dont, quand ils diront les avoir franchis à pied, nul ne les croira... Presque sans argent, en se nourrissant de thé au beurre et de *tsampa*, la farine d'orge que mangent les Tibétains. Alexandra David-Néel est très petite. Elle fait un mètre cinquante-cinq. À son arrivée en Asie, elle pèse 80 kilos. Elle est plutôt très ronde. Lorsqu'elle arrive à Lhassa, elle ne pèse plus que 43 kilos. Vraiment, comme elle le dira, il ne lui reste «plus que sa vieille peau sur ses pauvres os meurtris par le froid de l'Himalaya». C'est un exploit. Fin février 1924, Yongden et elle parviennent enfin dans la Cité interdite de Lhassa. Ils y restent deux mois.

Elle ne fait que visiter la ville. Elle a des mots qui sont effectivement très typiques du caractère d'Alexandra David-

Néel. Voici ce qu'elle écrit à son mari: «Je suis subjuguée. J'y suis arrivée, mais finalement, c'est une ville bien décevante! Et puis si jamais, même pour un million, on me proposait de le refaire, je ne le referais pas. Ça n'en vaut vraiment pas la peine!» Dix lignes pour dire: «Bon, voilà! Un an et demi, et j'y suis arrivée!» Parce que la seule chose qui l'intéresse, c'est d'y être arrivée. Finalement, elle aime beaucoup Lhassa, bien sûr. Elle visite la Cité, découvre les rituels des Tibétains. Elle visite le palais du Potala. Elle fait toutes ses prières et ses méditations quotidiennes. Elle y reste deux mois surtout pour refaire ses forces, puis elle décide de retourner en Europe.

Le manque d'argent, une fois de plus, la ramène vers la maison. Mais surtout, elle sait qu'elle est attendue, que la gloire l'attend, parce qu'elle a tout de même demandé à Philippe d'annoncer à la presse qu'une «Parisienne était arrivée à Lhassa» ce que les journaux du monde entier ont instantanément répercuté. Elle fait la une de tous les magazines. L'agence de presse Havas annonce le 24 janvier 1925 qu'Alexandra David-Néel revient de Lhassa et va débarquer au Havre. Effectivement, quand elle arrive au Havre, c'est le président de la République française, Gaston Doumergue, qui l'accueille. Elle a 57 ans. C'est une femme au somment de sa gloire. Une gloire qu'elle aime et nourrira jusqu'à la fin de sa vie.

On pourrait penser que cette reconnaissance lui suffit et qu'à l'aube de la soixantaine, elle va légitimement vouloir ménager ses forces. Pas du tout. Alexandra David-Néel vit comme une seconde jeunesse. Elle doit bien sentir que sa vie terrestre est bien loin d'être accomplie. En 1937, très exactement le 5 janvier 1937, à 69 ans, elle s'embarque avec Yongden en direction cette fois de la Chine. La Chine sera bientôt envahie par le Japon. Par conséquent, au lieu de sillonner le pays comme ils l'espéraient, ils sont acculés à chercher un endroit où se réfugier. Ils trouvent cet endroit à

Tatsienlou, à la frontière du Tibet, où ils vont rester, à l'abri de la guerre sino-japonaise mais également, à l'abri de la Seconde Guerre mondiale, jusqu'en 1946.

À Tatsienlou, Alexandra David-Néel vit à 2 500 mètres d'altitude – on l'imagine tout à fait en spectatrice privilégiée! –, à la frontière sino-tibétaine, d'où elle peut commenter les guerres en cours. Finalement, en 1946, non mécontente d'être enfin «délivrée» de son refuge, elle se décide à revenir en France, à 78 ans. Elle vivra encore 23 ans. Elle survit même à son fils adoptif Yongden qui, pourtant, était tellement plus jeune qu'elle, mais qui meurt néanmoins en 1955. Philippe Néel quant à lui, a souhaité divorcer dès son premier retour en France, en 1925. Alexandra accepte sans faire de commentaires. Il meurt quelques années après ce divorce, sans qu'ils se soient revus.

Elle passe les 25 dernières années de sa vie, dans la méditation, la prière, et l'écriture, vivant une vie quasiment monacale dans sa maison de Digne qu'elle a nommé Sanctuaire de méditation. Elle se consacre entièrement à la méditation, à l'étude des textes et surtout à leur transmission, puisqu'elle va écrire sans discontinuer. Elle va enseigner le bouddhisme et raconter inlassablement le Pays des neiges. Elle reste alerte et rebelle jusqu'à 101 ans.

La naissance d'Alexandra David-Néel est marquée par une anecdote. Elle est née par une nuit de formidable orage. Une autre petite anecdote ponctue également sa mort. L'employé municipal de la mairie de Digne raconte comment, quelque temps avant son 101e anniversaire, il a vu arriver Alexandra David-Néel, sourire aux lèvres, lui demandant de renouveler son passeport! Peu de temps après, le 8 septembre 1969, munie d'un passeport tout neuf, elle prononce cette ultime phrase: «Je suis à Marseille! Je veux aller à Pékin par le golfe Persique! Cette espèce d'ouverture...» Puis plus rien. Huit jours durant, elle se taira, jusqu'à son dernier soupir.

Alexandra David-Néel est tout simplement repartie, vers Pékin, vers le Tibet, par le golfe Persique...

DORA MAAR

1908-1997

*P*assionnée, passionnante, et mystérieuse... C'est toujours en ces termes que l'on parle de Dora Maar. Il a fallu qu'elle meure pour que l'on s'aperçoive qu'elle vivait encore et précisément, qu'elle avait survécu à sa relation avec Picasso. Après 40 ans de «disparition», elle est revenue dans l'actualité un an après sa mort, en septembre 1998, à l'occasion de la vente aux enchères de son «musée Picasso» personnel, ainsi que de ses propres toiles et photographies. Ainsi le monde a-t-il d'un coup découvert que cette femme jadis si célèbre avait vécu 40 ans retirée dans son monde intérieur, fait de mysticisme et de dévotion.

Son histoire m'a intéressée parce qu'elle témoigne des rapports entre la création et le sacré, entre l'inassouvi et le sublime, entre l'attraction et la répulsion, entre le désir fou et la folie elle-même. Rapports troubles mais inévitablement interdépendants, forcément douloureux, et forcément merveilleux. L'histoire de Dora Maar m'a tout de suite interpellée. J'ai aimé la beauté, l'élégance, la force de cette femme singulière. J'ai aimé sa faiblesse aussi, son vertige amoureux, qui n'a rien entamé de sa fierté, de son intransigeance, et surtout pas de son talent.

De Dora Maar, il semble convenu de dire qu'elle fut une partie de la vie de Picasso. Cette vision parcellaire, tronquée, me semblait terriblement injuste, et menaçante. Dora Maar a existé, pleinement et passionnément. Et Pablo Picasso fut l'un de ses amants. Il fut une partie de sa vie.

Elle naît en 1908, à Paris, d'une mère française, écrivain, et d'un père croate, architecte très célèbre du Bauhaus. La carrière du père mène la famille Maar en Argentine où Dora passe son enfance. Très tôt elle parle trois langues : le français bien sûr, le croate et l'espagnol – ce qui est important, parce que par la suite, elle pourra parler espagnol avec Picasso. Elle apprendra vite d'autres langues et deviendra polyglotte. Elle revient à Paris à l'adolescence et s'inscrit à l'École des beaux-arts, en peinture. Elle n'a pas vingt ans qu'on la reconnaît déjà comme une future artiste.

De son enfance en Argentine, un aspect me semble très important à mettre en exergue. Elle grandit auprès de parents bourgeois, installés, et catholiques. Mais elle est fille unique, très solitaire bien qu'elle soit choyée. Elle vit avec les domestiques, comme souvent les enfants de bonnes familles. Or, en Argentine, le mysticisme catholique, cette forme de foi extatique et excessive typique de l'Amérique latine, lui est ainsi inculquée. Cette enfance particulière la met donc très tôt en contact avec une pratique fervente voire passionnelle du catholicisme, ce qui explique que la question de Dieu, l'interrogation devant le mystère divin, restera véritablement au centre de sa vie.

Quand elle revient à Paris, elle s'inscrit donc à l'École des beaux-arts puis devient photographe. Et c'est une grande photographe, ce qui atteste qu'elle a existé en tant que femme et en tant qu'artiste, bien avant de rencontrer Picasso. Sa jeunesse se passe au cœur du mouvement surréaliste. Elle fréquente des personnalités du monde artistique qui sont restées dans nos mémoires; elle est photographe de plateaux sur les films de Renoir, où elle travaille avec Cartier-Bresson. Elle devient l'amie des surréalistes de l'époque et surtout, l'amante de Georges Bataille. Sa vie amoureuse est d'ailleurs bien remplie. Les mystères du corps et de l'attraction sexuelle ne lui sont certainement pas inconnus. Dora Maar est belle, très belle, brune avec des yeux extraordinaires, ce regard d'étoile qui séduira tant Picasso... Mais elle est aussi très exigeante, audacieuse et indépendante, dotée d'une personnalité profonde. Partout où elle va, et au risque de se faire mal recevoir par ses amis surréalistes, elle pose inlassablement la question du divin, mais finalement on lui pardonne ce qui semble être une obsession, parce qu'elle possède l'art de la conversation poussé à son maximum, parce qu'elle est originale, subtile, cultivée, et puis parce que c'est une créatrice reconnue comme telle par l'ensemble de son entourage peu banal, et peu enclin à la banalité.

Et c'est parce qu'elle fréquente ce milieu artistique et inspiré qu'elle fait la rencontre de Picasso. Elle le rencontre en janvier 1936, à 28 ans. Pablo Picasso est déjà très connu. À 54 ans, il traverse une période difficile et sombre. Ceci revêt une importance capitale pour la suite. Dora Maar va accompagner les années sombres à la fois de la vie de Pablo Picasso, mais aussi de l'Europe, parce que bien sûr, 1936 augure déjà de la Seconde Guerre mondiale.

La scène de leur rencontre, à Paris, au célèbre café *Aux Deux Magots*, semble tout droit sortie d'un film de Renoir, ou d'un livre de Bataille, et témoigne de la personnalité de Dora: elle joue avec un couteau qu'elle se plante entre les doigts, sans prendre garde aux gouttes de sang qui perlent au fur et à mesure... Picasso est fasciné. Leur relation commence ainsi sous le signe du sang, de la passion et de l'excès. Elle va durer sept ans. Pendant sept ans, Picasso peindra Dora Maar dans toutes les positions, y compris dans ce célèbre tableau du *Minotaure* où l'on voit une femme, qui a les traits de Dora Maar, livrée à la passion sexuelle du Minotaure que l'on imagine évidemment être le peintre en personne. Mais elle n'est pas qu'une passion sexuelle. Avec elle, Picasso trouve une véritable interlocutrice pour sa vie quotidienne, pour sa vie intellectuelle, pour la satisfaction de ses sens autant que de sa raison mais également pour sa création, lui qui traverse l'une des pires périodes de sa vie.

Il a divorcé, il est ruiné, il ne peint plus. Il est comme en panne sèche de peinture. Arrive cette femme qui, elle-même, est une créatrice, une photographe surtout, et qui va progressivement cesser, elle aussi, de créer pour se consacrer à lui, comme pour lui insuffler l'esprit de la création. Alors, elle fait une chose que l'on a découverte en 1997, à sa mort : elle photographie toutes les étapes de la création du célèbre tableau *Guernica*, que Picasso va peindre dans des conditions insensées. L'Europe entre dans sa grande nuit. Après le bombardement de *Guernica*, Pablo Picasso, tout à son tumulte intérieur, décide de peindre cette toile ; Dora Maar photographie toutes les étapes de la naissance de cette œuvre majeure. Cependant, à part cela, elle ne fait rien. Elle ne crée plus. Elle est comme retirée dans sa passion avec Pablo Picasso. Il fait d'autres choses qu'on va aussi retrouver en 1997 avec stupéfaction : il lui fabrique d'étonnants petits objets, des dessins sur des boîtes d'allumettes, sur des capuchons de bouteilles de bière... Il lui créé des bijoux personnels parce que Dora Maar, alors que Picasso se plaignait d'avoir dû vendre des toiles pour lui acheter une pierre précieuse jettera la bague dans la Seine ! « Fais-moi des bijoux toi-même ! » lui intime-t-elle et Picasso relève le défi.... Jusqu'à la fin de sa vie, elle vivra avec les toiles qu'il lui a offertes, et avec ces innombrables petits objets personnels, toutes ces œuvres sublimes ou profanes qui ont constitué son musée Picasso personnel, et qui témoigne d'une histoire d'amour qui surpasse l'entendement...

Cela n'empêche pas qu'il se lasse d'elle, comme il l'a fait pour d'autres. Cette fois néanmoins, il ressent le besoin inhabituel de s'expliquer, par exemple auprès d'André Malraux qu'il prend pour confident. Au début, il l'appelle: «Adorable Dora adorée...» Et à la fin de leur relation, à Malraux il dit: «Dora, c'est la femme qui pleure...», parce qu'elle est profonde, parce qu'elle ne cesse de le questionner et de le pousser dans ses propres retranchements. Il confie plusieurs fois à son entourage qu'elle ne cesse de «l'embêter avec Dieu», lui posant constamment la question de l'Éternel à laquelle, lui, n'a pas vraiment envie de répondre. Il faut dire qu'à cette époque, Picasso s'est engagé dans le communisme et qu'il n'a pas du tout envie que quelqu'un vienne lui poser ce type de questions, bien que sans doute la notion de l'ineffable habite Picasso. Mais c'est comme si, présenté par une femme, cela lui était insupportable.

Et puis, il rencontre une jeune fille, Françoise Gilot, qui va devenir quelques années plus tard son épouse, et laisse tomber Dora Maar, tout simplement, un beau jour de 1943. Tous, et lui le premier, s'attendent à ce qu'elle se suicide. Elle ne va pas se suicider. Néanmoins, elle va bientôt se retirer du monde en affirmant: «Après Picasso, il n'y a que Dieu.» Sa relation, puis sa rupture avec Picasso ont fait d'elle une peintre, ce qu'elle n'était pas auparavant. Au début, elle commence par «faire du Picasso», plus ou moins cubiste, plus ou moins réussi, pour finir par se dégager complètement de cette influence et vraiment entrer en peinture, mais aussi en religion et en dévotion, vivant dans un musée intime dédié au souvenir de Picasso.

Contrairement à toutes les autres femmes de Picasso, Dora Maar ne le supplie pas, ne l'importunera pas. Elle ne lui écrit pas de lettres, elle ne lui fait pas de scènes, mises à part quelques crises de démence au moment de la rupture; c'est Jacques Lacan, qui fut l'un de ses grands amis, qui la fera sortir de l'hôpital psychiatrique Sainte-Anne. Sans doute, forcément, une douleur profonde, une douleur indicible l'habite-t-elle, qu'elle supportera avec une sourde fierté. De cette douleur mortifère, elle fera un terreau pour aller vers l'au-delà, vers quelque chose de plus grand qu'elle-même, de plus grand que la terre sur laquelle elle vit.

Sa retraite sera longue. Très longue. Quand Picasso l'abandonne, Dora a 35 ans. C'est une femme jeune et séduisante. Sa relation avec Picasso l'a grandie en même temps qu'approfondie, l'a rendue plus mystérieuse encore. Jusqu'à l'âge de 50 ans, elle poursuit sa vie de mondaine, parce que c'est une mondaine. Elle connaît tous les grands esprits de l'époque. Aux abords de la quarantaine, sa vie diurne est consacrée à sa création, mais sa vie nocturne n'est que robes du soir, bijoux, premières, spectacles, mondanités... Elle se partage entre l'appartement parisien que Picasso lui a acheté, et sa maison du sud, à Ménerbes que, pour lui offrir, il a échangée contre des toiles, mais cette fois avec plaisir... Sauf pendant des vacances, ils n'ont jamais vraiment vécu ensemble, mais il lui a laissé deux lieux de vie. Pendant cette décennie mondaine, Dora s'étourdit. Cela lui suffit-il vraiment à oublier qu'il n'est plus là, qu'il n'est plus à elle? Certes pas. Elle confie qu'après une soirée bien arrosée, elle passe toute la nuit devant l'immeuble de son ancien amant, en robe du soir, les yeux rivés sur ses fenêtres. Une femme seule, en proie à l'égarement... mais qui néanmoins sait que Picasso se trouve à la campagne, en famille. Jamais, comme Camille Claudel, elle ne hurle à la mort sous le regard consterné de l'amant, jusqu'à ce que ce dernier – en l'occurrence ce Rodin retourné dans le giron sécurisant de son foyer – appelle la police pour faire taire cette folle en proie au manque, pour se débarrasser de ce fardeau de culpabilité qui ose venir se rappeler à son souvenir. Dora Maar cultive la douleur courtoise. On ne lui connaît plus d'amant, et pourtant elle est tellement belle, tellement désirable. «Après Picasso il n'y a que Dieu» a-t-elle dit, se condamnant elle-même.

À cette retraite peuplée et agitée succède le repli le plus absolu. À partir de la cinquantaine, elle espace peu à peu ses rendez-vous, et lorsqu'elle les accepte ne s'y rend pas, pas plus qu'elle ne répond au téléphone. Au début ses amis se demandent ce qui lui arrive. De rendez-vous annulé en rendez-vous annulé, un jour, ils ne la voient plus. Un de ses amis, James Lord, qui est aussi un célèbre biographe, raconte qu'un jour, la retrouvant, il s'est aperçu que cela faisait 14 ans qu'ils ne s'étaient vus. C'est comme si elle s'était retirée dans l'ombre et que, finalement, personne ne se demandait même plus où elle se trouvait. Cela m'évoque un évanouissement, un ravissement... En réalité, elle est chez elle, à Paris, ou dans le sud de la France, vivant dans la solitude, bien sûr, dans la dévotion, dans la peinture, également dans une certaine pauvreté qui explique qu'elle vende petit à petit certaines toiles de Picasso, ainsi que ses propres créations. Cela lui permet de vivre ainsi, en parallèle du monde des vivants.

Elle peut enfin s'adonner au mystère divin qui la taraude depuis l'enfance. Elle suit tous les offices quotidiens, avec une originalité cependant: dès qu'une femme se lève pour lire les textes, elle quitte les lieux! Dans le village de Ménerbes, elle passe pour une vieille dame originale, très respectée parce que très respectable, imposante – toujours très élégante – mais certes excentrique, un peu dans les cieux, osera-t-on dire! Elle se consacre au mysticisme qui illumine ses peintures. Comme Cézanne, comme Van Gogh, Dora Maar veut peindre la lumière. La lumière venue du ciel, la lumière qui transforme la terre, qui transcende la terre et le corps humain. Lorsqu'elle meurt à l'été 1997, âgée de 89 ans, à l'Hôtel-Dieu de Paris, c'est une femme complètement seule. Elle n'a pas de famille, plus d'amis, personne...

La chute est cocasse. À partir de 1997, des recherches ont dû être effectuées pour lui trouver un héritier. Et c'est une lointaine descendante de son père, une paysanne croate qui élève des cochons, qui s'est trouvée à hériter, après la vente de son musée personnel, des œuvres de Dora Maar. Chute inattendue vers les cochons, retour posthume vers la terre, pour elle dont la vie semble avoir incarné tous les aspects du sacré mais aussi du profane, de la sacralisation mais aussi du sacrifice... Après cette fuite, ou ce sauvetage, vers l'absolu, cet épisode ultime l'a comme ramenée vers la multitude vile...

Picasso eut sans doute adoré ça...

ISABELLE-MAHMOUD EBERHARDT

1877-1904

*N*omade de cœur et d'esprit, Isabelle Eberhardt le fut par les circonstances mêmes de sa naissance... Puis elle le devint. Par choix ou par habitude. Tout au long de sa courte, mais intense existence, elle cultiva cette multiplicité, cette étrangeté, cette ambiguïté qui étaient fondamentalement les siennes. À moins qu'elle ne les ait subies. Aventurière et aventureuse, écrivaine, polyglotte, androgyne, elle s'acharna à être toujours là où l'on ne l'attendait pas. Célèbre, on l'adorait ou la haïssait, mais elle-même a-t-elle réussi à s'aimer? Sa vie fut courte, empreinte d'impatience et de fulgurance. Peut-être est-ce simplement parce qu'en 27 années elle avait déjà vécu tout ce qu'elle avait à vivre...

Personnage trouble, elle m'a toujours beaucoup troublée, sans que je sois vraiment capable d'exprimer ce que ce trouble pouvait cacher d'irritation ou de fascination. Après avoir lu plusieurs de ses ouvrages, et plusieurs livres à son sujet, j'ai finalement cessé de me poser des questions pour accepter l'évidence. Sa vie, son œuvre, sa vision du monde arabe, restent impérissables. Et cela seul, en définitive, nous importe.

Elle naît le 17 février 1877, à Genève, en Suisse, dans une famille en soi originale. Une famille d'exilés russes, d'érudits qui vivent dans une maison un peu particulière nommée La Villa Neuve, lieu singulier où l'on cultive les fleurs tropicales. Ces quelques éléments de départ marquent déjà sa différence. En arrivant au monde Isabelle Eberhardt est déjà une étrangère. Elle possède à la fois la richesse de sa multiplicité, et les douleurs de celle-ci. Rien ne lui est donné de certain et de rassurant qu'elle puisse revendiquer et sur lequel s'appuyer. Le doute semble constituer sa trame de départ: qui est-elle, que possède-t-elle, de quel sexe, de quel pays est-elle? De quelle ascendance, de quelle religion, de quelle langue peut-elle véritablement se revendiquer? Sa vie s'ouvre non pas sur des réponses mais sur des questions, et sur une quête.

C'est une enfant illégitime. Nathalie, sa mère, est une Allemande luthérienne, d'origine juive, elle-même fille naturelle d'une mère juive. Le nom de Eberhardt, avec sa consonance juive allemande, est donc le nom de la grand-mère maternelle d'Isabelle. Néanmoins, le père de Nathalie est Nicolas Korff, un Russe qui, pour des raisons inconnues, n'a pas voulu reconnaître sa fille. Donc, quand Nathalie Eberhardt, mère d'Isabelle, naît, elle est fille d'une mère juive allemande qui l'élève dans la religion luthérienne en cachant ses origines juives. En 1860, Nathalie Eberhardt épouse un général russe sénateur du nom de Paul De Mœrder. Ils auront trois enfants légitimes pour l'éducation desquels ils embauchent un précepteur, Alexandre Trophimowsky.

Alexandre Trophimowsky est un érudit, un philosophe, admiré pour sa culture mais également craint pour sa violence légendaire. Il se révèle excessif, autoritaire, possessif. Néanmoins, cet Alexandre Trophimowsky parle le turc, l'arabe, l'allemand, le russe et le français. Il connaît très bien l'islam même s'il se garde bien de le transmettre, affichant son attachement à la religion russe orthodoxe. Très vite, une liaison se noue entre Nathalie Eberhardt-De Mœrder et ce précepteur. À la mort de son mari, le général De Mœrder, elle l'épouse. Mais avant même le mariage, elle aura un enfant de lui: Isabelle.

L'histoire se répète avec un acharnement tout à fait interrogeant. Pour des raisons là aussi inconnues, à la mort de De Mœrder, Alexandre Trophimowsky reconnaît tous les enfants du précédent couple de sa femme mais Isabelle, qui est sa propre fille, il ne la reconnaît pas et refusera de le faire jusqu'au bout. Isabelle porte le nom de sa grand-mère juive allemande, Eberhardt que, par ailleurs, elle n'a jamais connue.

Toute son enfance est marquée par ce climat de trouble qui signe – obscurcit ou illumine – le reste de sa vie. Très vite, à cela s'ajoute une ambiguïté sur son identité sexuelle. Dès son plus jeune âge, elle s'habille en garçon et porte les cheveux courts, accentuant le physique androgyne qu'elle gardera toute sa vie. Les traits de son visage sont très doux mais elle possède une voix dont on ne sait pas si c'est celle d'une fille ou d'un garçon. Elle parfait cette ambiguïté dès qu'elle commence à écrire, assez tôt – dès l'adolescence. Elle signe ses lettres et ses articles de différents noms, mais jamais du sien. Elle devient successivement Meriem, Myriam, Nadia... jusqu'au jour où elle prend un pseudonyme masculin, à consonance russe: Nicolas Podolinsky. Par la suite, en Algérie, sa patrie d'élection, ayant choisi l'islam et la langue arabe, elle optera définitivement pour le prénom masculin de Saadi Mahmoud.

Elle découvre l'islam par le biais de la culture ottomane, et par l'apprentissage de la langue turque. Elle s'initiera plus tard à l'arabe seule dans le but avoué de lire le Coran dans le texte. C'est sans conteste une érudite qui entre dans l'islam et la culture musulmane en toute connaissance de cause.

Son érudition aurait pu lui être transmise par son père, lui-même grand connaisseur de l'islam, s'il n'avait tenu à garder ces affinités secrètes. Isabelle, peut-être par intuition, peut-être par besoin de rétablir une filiation qui lui est refusée, s'initie seule au Coran et à la langue arabe et, sur ce terrain, dépasse largement les connaissances de son père.

En 1897, à vingt ans, elle se choisit une devise qu'elle écrit d'abord en latin car, pour parfaire les choses, son précepteur de père lui a enseigné le latin: *Ibo singulater donnec transeam*, ce qui signifie «J'irai solitaire jusqu'à la mort»... Une devise qui fait froid dans le dos. Une auto-condamnation, une prémonition peut-être, à laquelle elle ne se dérobera pas. Puis, ayant écrit cette devise, en 1897, Isabelle se décide à effectuer le grand saut.

Mais contre toute attente, elle ne part pas seule. Elle part avec sa mère. Aussitôt parvenue en Algérie, elle revêt le burnou blanc et adopte une identité masculine qui lui permet d'être libre de ses actions et déplacements. Elle se fait appeler Saadi Mahmoud. Les deux femmes s'installent aux portes du désert, à Bône. Isabelle décide de se convertir à l'islam et, fait incongru dont nous ne connaissons pas vraiment les détails, elle convainc sa mère, juive allemande, orthodoxe d'adoption... de se convertir également. Ensemble et de concert, mère et fille deviennent musulmanes. Par cette conversion, par cet exil commun dans le désert algérien, Isabelle a réussi à créer entre sa mère et elle un lien privilégié, unique, qu'aucun des autres enfants de Nathalie ne partage avec elle. Elle a réussi à s'approprier sa mère pour elle seule. D'illégitime et singulière qu'elle était, elle devient unique.

L'arrivée en Algérie signe également le début de sa vie d'écrivaine. À partir de ce moment-là, Isabelle Eberhardt vit le stylo à la main, mais ne vivra jamais de sa plume, puisqu'à part quelques journaux, quelques nouvelles et articles, il faut

attendre sa mort pour que la totalité de ses écrits, manuscrits, lettres et journaux soient publiés. Mais l'Algérie qui lui
a apporté le meilleur, lui apporte bientôt le pire. Nathalie, sa
mère, contracte une maladie cardiaque et meurt d'un in-
farctus, moins d'un an après leur arrivée. Elle est enterrée
dans le cimetière musulman de Bône, sous le nom de
Nathalie – Leila – Eberhardt. La liaison matrilinéaire est ainsi
rétablie, et gravée dans la pierre.

Isabelle a 20 ans. Elle est désespérée autant qu'il est
possible de l'être. Toute sa vie, ses journaux personnels seront pleins du vide et du manque de sa mère qu'elle appelle
désormais l'Esprit blanc. Vingt ans, c'est véritablement un
cap terrible pour elle parce que sa mère n'est pas la seule à
mourir. Retournant en Suisse, elle est confrontée à la mort de
son frère préféré, son seul complice au sein de cette famille
qui lui a toujours été étrangère, à l'exception bien sûr de sa
mère. Peu de temps après, Alexandre Trophimowsky, le géni-
teur d'Isabelle, décède à son tour, un an à peine après la mort
de sa femme qu'il aimait profondément et sans laquelle il ne
désirait plus vivre. En 1898 Isabelle Eberhardt a 21 ans. C'est
une femme libre. Et complètement seule. Elle retourne en
Algérie.

Elle a la réputation de jeter l'argent par les fenêtres,
voyageant sans cesse, menant grand train. Elle passe pour
une femme riche alors qu'elle est, la plupart du temps,
proche de la misère. Cependant, consciente qu'on ne prête
qu'aux riches et vivant dans un pays et dans un milieu où
l'apparence tient souvent lieu de laissez-passer, tout particulièrement lorsqu'on est une femme célibataire, elle soigne
toujours sa mise. Elle est toujours très soignée, massée, par-
fumée, extrêmement bien vêtue même lorsqu'elle s'habille
en homme... Lorsque les circonstances l'y oblige – par
exemple pour se rendre à une soirée dans les quartiers
français – elle s'habille en femme mais... en femme arabe.

Son maintien, son originalité lui tiennent lieu de richesse extérieure.

Sa prédilection néanmoins va vers les vêtements masculins, pour deux raisons essentielles. Tout d'abord, profitant de son physique androgyne, cela lui permet d'aller et venir librement. Plus que tout, elle craint de devoir se soumettre à la tradition de claustration des femmes arabes. D'autre part, Isabelle Mahmoud Eberhardt est une musulmane fervente qui tient à se rendre à la mosquée cinq fois par jour et bien évidemment cela implique qu'elle soit un homme ou du moins, que son entourage le croit. Pour elle, se rendre cinq fois par jour à la zaouïa, ou simplement s'asseoir aux abords de la mosquée pour rêvasser ou méditer, revêt une importance capitale, quasiment vitale. Elle a laissé de nombreux textes sur le sujet, textes dans lesquels éclate sa nature fervente, mystique et contemplative, que sans doute elle ne pouvait vivre qu'en Afrique du Nord et à la condition de passer pour un homme.

Le mysticisme religieux ne constitue cependant pas le seul plaisir auquel elle s'adonne au cours de ses années. L'ambiguïté fondamentale d'Isabelle-Mahmoud Eberhardt apparaît clairement dans le récit de son intense vie nocturne. Bizarrement, son biographe et ami Victor Barrucand, qui a recueilli, restauré et publié ses écrits à sa mort, a voulu en partie effacer les aspects les plus «scandaleux», ou du moins les plus amoraux, de ses passions sensuelles, aussi intenses qu'éphémères. Mais gommer ses aspects-là justement, n'est pas lui rendre grâce. Comme Gertrude Bell, comme Lawrence d'Arabie, Isabelle Eberhardt n'a certes pas choisi l'islam pour sa pureté désincarnée!

En Orient, ferveur religieuse et ferveur sensuelle se magnifient l'une l'autre et Isabelle n'imagine pas de vivre l'une sans l'autre. Voici ce qu'elle en a écrit:

Je me reposais enfin, à cette heure douce et étonnamment joyeuse. Quels qu'aient été mes égarements sensuels, mon âme, à cette heure, semblait flotter dans le vide charmeur de ce ciel inondé de lumière et de vie. Ce furent pour moi des heures bienheureuses, des heures de contemplation et de paix, de renouveau de tout mon être, d'extase et d'ivresse que celles que je passais, assise sous ce déguisement, sur cette marche de pierre, à l'ombre fraîche de cette belle mosquée tranquille.

Ainsi, au cœur de la nuit chaude, traîne-t-elle d'un bouge à l'autre, goûtant pareillement les corps et les âmes, les hommes et les femmes, enivrée de musique, de parfums et d'odeurs d'épices, fumant et buvant plus que de raison. Puis, hagarde, rassasiée de plaisirs terrestres, et enfin seule, elle s'asseoit aux abords de la zaouïa avant les premières lueurs de l'aube, attendant que le soleil se lève sur ses tumultes intérieurs avec l'appel du muezzin... L'important reste effectivement son unicité et sa bigarrure. Elle a écrit sur cette ambiguïté, y compris sur ces errances sexuelles qu'elle n'a jamais cachées. J'oserai dire qu'elle les vit au grand jour bien que, la plupart du temps, de nuit, de manière quasiment naïve. À cause de cela, elle faillit même être assassinée. Est-elle homme ou femme, ange ou démon, nul ne le sait mais cela dérange trop de monde. En Algérie, elle croit avoir trouvé une patrie, un lieu d'intégration et de tolérance. Mais sa vie dérangeante l'expose au rejet, à l'abandon. Une fois de plus, elle se redécouvre étrangère.

Le désert seul console. Cette route du sud, la route de son âme, à laquelle elle ne sait résister, jusqu'à s'y perdre, jusqu'à y mourir ensevelie. Comme pour tous les grands mystiques, le désert est une révélation. Elle se reconnaît dans cet absolu, seule au milieu du vide, entre ciel et terre. Dans le désert, elle ne doute plus. Toute cette bigarrure, cette multiplicité, toutes ces choses compliquées de son enfance, deviennent d'un seul coup évidentes, simples, pures et claires comme le soleil implacable.

Le désert lui apporte tout. La paix, la révélation, mais aussi l'amour, le vrai, celui qui unit, dans une fusion incandescente, les mystères de l'incarnation et les mystères de l'ineffable, faisant du corps le tremplin vers les étoiles.

Ayant fui Alger à 21 ans, Isabelle-Mahmoud vit dans le désert dans un lieu qui restera son lieu de prédilection, un lieu aussi au nom prédestiné, El Oued... Elle arrive là le 4 août 1900, à 23 ans, et tombe littéralement subjuguée par la beauté du lieu. Elle adore en particulier le magnifique jardin de l'oasis de Bir Harbi où elle aime à se promener à la tombée du jour. Elle y rencontre un jeune homme. Comme à son habitude, comme elle l'a toujours fait au péril de sa vie, elle suit son désir immédiat. Elle le regarde, elle le prend et ils s'en vont... Qui ce jeune homme croyait-il suivre ainsi dans le crépuscule, quand on sait qu'Isabelle est évidemment habillée en bédouin? Elle l'exprime en ces termes, il s'agit d'une révélation des sens, un foudroiement du corps et de l'âme. Slimène Ehnni est le nom de cet homme, plus jeune qu'elle et qui doit donc avoir à peine une vingtaine d'années. C'est une révélation des sens qui n'en finira jamais.

Ces années passées dans le désert aux côtés de Slimène, et il ne lui en reste plus guère beaucoup à vivre, sont sans doute celles pendant lesquelles Isabelle Eberhardt écrit le plus, et le mieux. Mais c'est aussi l'occasion pour elle d'entrer beaucoup plus avant dans la religion musulmane. Slimène, elle le découvre bientôt, n'est pas seulement un amant sublime: il est aussi un initié soufi. Grâce à Slimène, Isabelle entre dans l'une des plus anciennes sectes soufies de l'islam, la secte des Qadriya. Inutile de dire qu'aucune femme, et surtout pas une Occidentale, n'a jamais approché un tel sanctuaire du mysticisme musulman. Grâce à son amant, l'extase n'est pas que corporelle: elle devient également mystique. Le 10 novembre 1900, au cours d'un rituel ancestral, on lui remet le chapelet noir des Qadriya qui fait d'elle une initiée, en plein désert, dans l'enceinte de la très sainte mosquée de Guenmar, fondée au XIIe siècle. C'est toute une tradition de l'islam originel qui lui est ainsi transmise, par le biais d'un cheikh soufi. Au cœur du désert, lui sont transmises les techniques d'extase mystique de la tradition soufie auxquelles, sans doute, elle était depuis toujours disposée et qu'elle cherchait confusément, et parfois dans la plus totale confusion. L'un de ses biographes a écrit que «la seule chose qui faisait d'elle un mauvais musulman, c'est qu'elle buvait, fumait et se roulait avec tout le monde». Ne cherchait-elle pas justement autre chose, ne cherchait-elle pas l'étincelle divine dont elle pressentait l'existence, la lumière, au milieu de l'obscurité charnelle? L'extase mystique du soufisme lui apporte ce dépassement. Elle la découvre enfin, dans le désert et avec celui qui deviendra son mari.

Et pourtant le destin s'acharne... Cette femme qui connaît l'extase absolue, puisqu'elle est à la fois mystique et physique, cette femme érudite, intelligente, cette androgyne qui trouve l'amour et une certaine reconnaissance, puisqu'on l'accepte même dans cette secte soufie, fait l'objet d'une tentative d'assassinat. Isabelle-Mahmoud Eberhardt semble être restée très longtemps inconsciente, véritablement, de ce que pouvait impliquer de jouer, d'une certaine manière, avec des choses aussi puissantes que la foi islamique et pire, le fanatisme islamique. La réalité s'abat sur elle avec la violence d'un sabre.

Nous sommes en 1901, à un tournant extrêmement important de l'histoire de l'Algérie dont les conséquences n'en finissent pas d'ailleurs de remplir nos journaux quotidiens. En 1901, la révolte des Algériens contre la colonisation française commence à se faire sentir, et cette révolte s'amorce par le sud, effectivement, dans toute cette partie du sud algérien où se trouve Isabelle Eberhardt. D'un autre côté, la foi et le fanatisme musulman accompagnent la révolte contre les Français et deviennent un prétexte pour s'opposer à la colonisation. Isabelle Eberhardt, avec toute son ambiguïté, toute sa naïveté et tout son mysticisme, se trouve au cœur de tout cela.

La guerre d'Algérie n'éclatera officiellement qu'en 1952, mais les troubles se font déjà pressentir au début du siècle. Et effectivement, alors qu'elle connaît le bonheur parfait, le 29 janvier 1901 – un an à peine après l'avoir rencontré – elle vit avec Slimène sans être mariée, toujours en homme, et portant sur elle le chapelet de la secte des Qadriya, arrive ce qui devait arriver. Elle manque d'être assassinée à coups de sabre par un fanatique de la secte rivale des Tidjaniya, traditionnelle alliée des Français. Elle se retrouve en quelque sorte dans un nœud de vipères, de vipères du désert, dont elle semble ignorer complètement la teneur ou du moins, certainement la sous-estimer. Attaquée au sabre, seule une corde qui se trouve miraculeusement au-dessus de sa tête lui évite d'être tuée sur le coup. Elle est frappée au cou, à la tête et aux bras et doit passer plusieurs mois à l'hôpital. L'assassin, Abdallah ben Si Mohammed, fanatique soufi de la secte rivale, reconnaît son geste et implore le pardon du tribunal. Néanmoins, Isabelle est expulsée d'Algérie, après s'être trouvée accusée dans un procès où elle est la victime.

Le déroulement du procès révèle profondément la personnalité d'Isabelle Eberhardt. Elle plaide elle-même pour son assassin. Elle envoie une lettre à l'avocat de son assaillant dans laquelle elle lui dit que nul au monde, pas même sa famille, ne peut lui pardonner comme elle lui pardonne, et que désormais, elle le considère comme son frère dans l'islam. Pardonner à son assassin apparaît aussi comme une ultime tentative de se raccrocher à quelqu'un et d'appartenir à un groupe. Grâce à elle, le meurtrier se trouve finalement condamné à 20 ans d'emprisonnement, alors que l'avocat général avait requis la peine de mort. Néanmoins, le gouvernement français ordonne son expulsion.

Ce procès et cette expulsion révèlent combien, une fois de plus, elle dérange tout le monde, des deux côtés. Isabelle-Mahmoud Eberhardt a certes agi comme une véritable initiée, mais il n'en reste pas moins qu'elle représente un outrage à l'islam. Les musulmans la pensent alliée aux Français, la soupçonnant même d'espionnage, tandis que les Français, traditionnellement alliés des Tidjaniya, la suspectent d'actions anti-françaises, à cause de son alliance avec les Qadriya. Elle ne voulait prendre parti pour personne, tous ont pris parti contre elle. Elle est expulsée.

Entre 1901 et 1903 elle connaît une période noire, pendant laquelle elle est «exilée» en France. L'administration française lui jette à la figure sa nationalité suisse et son ascendance russe. Les fruits de cette ascendance lui restent pour leur part inaccessibles puisqu'elle ne parvient à récupérer aucune part de son héritage. Son statut d'enfant illégitime, sa filiation matrilinéaire, l'absence de sa mère, tous les fantômes semblent vouloir forcer les portes du placard où Isabelle Eberhardt croyait les avoir enfermés à jamais. Est-ce pour cela qu'elle s'obstine? Son idée fixe ne la quitte pas: elle veut retourner en Algérie et pour cela devenir Française. Pour ce faire, cela elle trouve un moyen tout simple, et parfaitement légal, qui d'une certaine façon apparaît aussi comme un magistral pied de nez administratif à ces détracteurs: il lui suffit d'épouser Slimène, parce que Slimène est un soldat algérien et donc, français. Le 17 octobre 1902, à 25 ans, ils convolent à la mairie, puis à la mosquée de Marseille. Isabelle-Mahmoud Eberhardt-Ehnni est enfin devenue Française. Au printemps 1903, elle retourne en Algérie.

Avec Slimène, ils s'installent à Ténès, une ville-garnison du sud algérien qu'Isabelle exècre, parce qu'elle n'aime pas les villes, parce que les villes dans le désert sont d'un mortel ennui, mais aussi parce que son mari, engagé dans l'armée française, est pauvre. Ils vivent misérablement de la solde de son mari, loin, très loin l'un de l'autre. Être l'épouse rangée et inoccupée d'un soldat ne peut certes pas la combler. Elle étouffe, se sent emprisonnée dans cette vie aux antipodes de sa personnalité. Quelque chose en elle s'est cassé. Quelque chose d'essentiel qui la laisse lasse de tout. Même de Slimène. Elle plonge dans la dépression, le désarroi, l'errance intérieure. Elle doit repartir. Elle ne connaît pas d'autre remède à ses démons intérieurs.

Au printemps de 1904, elle repart sur les pistes du sud avec les troupes du général Lyautey, qui lui voue une profonde amitié et une réelle admiration pour son talent d'écrivaine. Ils repartent vers Aïn-Sefra, dans le sud oranais. Aïn-Sefra, «la source jaune»... Isabelle vit dans la partie basse de la ville, à l'endroit où un oued asséché a laissé son lit. En ce lieu, le destin a donné rendez-vous à Isabelle qui ne s'y dérobe pas. Le 21 octobre 1904, les eaux de l'oued en crue traversent la place et engloutissent en quelques instants la ville basse, la noyant sous le sable et l'eau, sous une boue jaune et meurtrière. En l'espace d'un éclair, la source jaune a détruit la totalité de la ville basse. Quelques centaines de mètres plus haut, dans la ville haute où il lui avait pourtant recommandé de s'installer, le général Lyautey assiste impuissant à ce spectacle d'horreur. Lorsque le torrent de boue est passé, il fait rechercher Isabelle Eberhardt dont on retrouve effectivement le corps sous les décombres de sa maison. Il fait également rechercher ses manuscrits, et l'on retrouve ainsi des dizaines de manuscrits, de lettres, de papiers, de journaliers, qui seront restaurés et publiés *post-mortem*.

Le corps d'Isabelle est inhumé au cimetière musulman du désert d'Aïn-Sefra, où il repose toujours. Sur la pierre tombale, très sobre, le général Lyautey a fait graver deux inscriptions, respectant ainsi les choix de son amie défunte. En arabe, il est écrit: «El Saadi Mahmoud» et en dessous, en français: «Isabelle Eberhardt, épouse d'Ehnni Slimène, morte à 27 ans».

DOÑA GRACIA NASI, LA SEÑORA

1510-1569

*J*e sais que Montréal garde un grand souvenir de l'Exposition universelle de 1967... Celle de 1998 se déroulait dans la capitale portugaise, à Lisbonne, et on y fêtait les océans, leur rôle prépondérant dans la perpétuation de notre vie terrestre mais aussi, leur rôle historique, la navigation comme instrument de découverte et de liaison entre les continents et les peuples, et comme principal agent d'expansion commerciale et territoriale des pays qui possédaient une flotte.

Au rang des pays européens dont la mer représentait le principal facteur d'expansion et d'enrichissement, le Portugal fut le premier et aussi, longtemps, le principal. En ce xve siècle des grandes découvertes, les voyages, le commerce maritime et la colonisation permirent son extraordinaire expansion économique, mais aussi politique et religieuse puisque les intérêts économiques et religieux s'imbriquent et s'influencent mutuellement, en particulier à partir du milieu du xve siècle.

Cette réalité a d'ailleurs directement présidé à la naissance du Canada, et du Québec bien que plus tardivement. Au xve siècle, bien avant l'Angleterre et la France, et dans des territoires différents de ceux de Venise, Gênes ou Constantinople (devenu Istanbul), le Portugal, l'Espagne et la

Hollande se livrent une terrible concurrence dans la non moins farouche bataille des océans, cette concurrence qui a conduit à la découverte de l'Amérique, puis de l'Afrique, des Indes et de l'Extrême-Orient.

Au XVe siècle Lisbonne est la flamboyante capitale d'un prospère royaume ouvert sur le monde. Cette richesse s'accroît avec le commerce maritime mais il existe déjà, reposant en grande partie sur la présence des Marranes, juifs exilés en Espagne depuis leur départ de Palestine, et dont la puissance financière a largement contribué à celle de leurs pays d'accueil, comme elle a souvent fait des Marranes les banquiers de plusieurs autres royaumes européens. Au moment où commence l'histoire de Doña Gracia Nasi, la riche communauté marrane doit s'intégrer au Portugal et ses ressortissants, pour la plupart, se convertir au catholicisme. Comment en serait-il autrement? Le pouvoir religieux de l'époque appuie et dessert l'expansion économique et territoriale, la colonisation marchande s'accompagnant toujours de missions catholiques, au comportement, il est vrai, plus ou moins catholique...

On comprend que la première Inquisition, destinée à sauvegarder l'enrichissement des marchands catholiques de souche, débute avec le premier édit du pape prononcé à la fin du XVe siècle contre les Juifs. Dès lors, l'histoire de Doña Gracia Nasi apparaît comme l'emblème de cette Inquisition et de ces conséquences d'expulsions de pays en pays, d'errances en errances qui vont conduire le peuple juif vers son troisième exode, hors des côtes ibériques, vers le Portugal puis finalement vers le Bosphore où il sera, à partir du milieu du XVIe siècle, accueilli, et surtout protégé, jusqu'au début du XXe siècle au sein de l'empire ottoman.

Nous sommes encore trop marqués par la Shoah, l'Holocauste du peuple juif de la Seconde Guerre mondiale et la plupart du temps, nous oublions, ou ignorons, les précédentes étapes de son errance au fil des siècles. Alors, avant de plonger dans l'extraordinaire vie de Gracia Nasi, et pour mieux la comprendre, rappelons-nous brièvement quelques dates. Dans l'histoire du peuple juif, deux moments sont à retenir qui marquent leur migration vers l'ouest hors de la terre de Sion sur laquelle l'État d'Israël a enfin été fondé en 1948. Le premier, c'est la chute du Temple de Salomon qui marque le premier exode du peuple juif hors de Palestine et leur arrivée massive, au fil des siècles, sur la côte ibérique. Le second exode a lieu avec l'expulsion des Juifs de la péninsule ibérique en 1496. Juive, la famille de Gracia Nasi est expulsée et se retrouve, avec beaucoup de ses compatriotes, au Portugal, pays encore à l'abri de l'Inquisition. Au fur à mesure que s'étendra l'Inquisition, les familles juives seront successivement expulsées d'Europe du Nord, errant du Portugal vers la Hollande, de la France vers Venise et Ferrare pour finalement s'établir aux abords de Salonique, après avoir été accueillies par le sultan Soliman le Magnifique.

La famille Nasi est riche. Installée à Lisbonne depuis 1496, elle prospère dans le commerce maritime et participe ainsi activement à l'irrépressible expansion du royaume. La petite naît en 1510 et elle est immédiatement baptisée selon les rites catholiques puisque les Juifs accueillis au Portugal se trouvent contraints à la conversion. Ceux qui refusent sont alignés sur le port, sans boisson ni nourriture, et sans autre choix que celui de sauter à la mer ou de se laisser baptiser à grands coups de seaux d'eau bénite. La famille Nasi a évité cette humiliation publique. Elle s'est convertit mais elle «judaïse», comme on dit à l'époque, c'est-à-dire qu'elle pratique la religion juive, en cachette.

Ainsi, après le baptême catholique officiel de leur fille, les parents Nasi se hâtent-ils de rentrer chez eux et de lui donner un baptême juif. Pour bien marquer le fait qu'ils sont des Juifs convertis, les Marranes adoptaient aussi des noms catholiques. «Marranes», dans la langue hébraïque, veut dire «cochon». L'extraordinaire violence qui est faite à ce peuple à cette époque est tout entière contenue dans le surnom qui leur est attribué... À sa naissance, la petite est baptisée Beatriz de Luna, un joli nom poétique mais surtout on ne peut plus portugais et catholique. En secret, lors de son baptême juif, elle sera néanmoins nommée Gracia. Pendant la première partie de sa vie, elle s'appellera Beatriz puis, lorsqu'elle décidera d'afficher sa religion, elle reprendra son prénom juif, elle l'exposera comme un étendard, un défi au monde de l'époque. Gracia Nasi, Nasi signifiant «prince»... Les «princes cochons»... y verrait-on quelque inadmissible ironie?

Après une enfance calme, une éducation raffinée, exigeante, cosmopolite et aussi religieuse, Beatriz de Luna épouse en 1528, un Portugais catholique, lui aussi d'origine juive mais bien moins qu'elle attaché à sa tradition hébraïque. Pour la famille Nasi, il s'agit d'une bonne union, car les Mendès sont extraordinairement riches. Le mari de Beatriz, Francisco Mendès, est lui-même fortuné mais bien moins que son frère, Diogo Mendès, surnommé le «Prince des épices», car il règne sur le commerce international des épices depuis Anvers, en Hollande. Cela sauvera Beatriz, sa famille et sa belle-famille... En effet, huit ans après leur mariage, le 23 mai 1536, le pape Clément VII, publie un nouvel édit contre les Marranes. Immédiatement après cette terrible nouvelle Francisco Mendès, déjà très âgé, meurt. Beatriz se trouve contrainte de quitter le Portugal. Cette première expulsion donne le coup d'envoi d'une longue série migratoire, dictée par l'extension de l'Inquisition. En 1520, Martin Luther a été excommunié. Le Portugal, en 1536, comme l'Espagne en 1496, entre à son tour dans la droite ligne du pape.

Sur la carte de l'Europe la liste des pays non encore soumis à l'Inquisition, rétrécit comme une peau de chagrin.

Âgée de 26 ans, veuve, Beatriz Mendès rejoint son beau-frère Diogo à Anvers, par bateau. Par chance, elle aime beaucoup la mer et la navigation. Elle en sera rassasiée... Elle réussit néanmoins à embarquer une grande partie de sa fortune, ainsi que les membres de sa famille, en particulier sa fille de 5 ans, Brianda Mendès dite Reyna, ses parents, sa sœur Brianda de Luna qui épousera Diogo Mendès, et son neveu Josef Nasi dit Juan Micas. Josef Nasi, depuis toujours amoureux de sa tante, de cinq ans son aînée, deviendra un illustre personnage, essentiel dans la vie de Gracia Nasi mais également, comme elle, incontournable dans l'histoire du peuple juif.

L'année 1536 marque donc un tournant dans l'Inquisition. Cette même année, Jean Calvin est contraint de se réfugier à Ferrare, à la cour du duc d'Este. Diogo Mendès de son côté, a été arrêté à plusieurs reprises. Et en 1540, à Milan, Jean de Foix installe la Commission de surveillance contre les Marranes. Le 16 décembre de la même année, le bourgmestre d'Anvers émet un édit contre les Juifs. Expulsée de Hollande, la famille Nasi-Mendès émigre à Milan. En 1542, le messie juif David Reubeni est brûlé à Evora. Resté à Anvers, Diogo Mendès meurt dans la solitude. L'héritage des Mendès, considérable, est retenu à Gand. Les sœurs Nasi-Mendès sont très riches mais n'ont pas accès à leur incommensurable fortune.

En 1545, après diverses péripéties à la cour de France, à laquelle Josef Nasi prêtera d'ailleurs des sommes colossales, et jamais remboursées, Beatriz et sa sœur Brianda rejoignent Josef et Reyna à Venise, pour peu de temps encore à l'abri de l'Inquisition. En 1547, la sœur de Beatriz dénonce celle-ci comme juive auprès du Conseil des Dix, et en profite pour demander sa part d'héritage. Beatriz se retrouve en résidence surveillée. Pour tenter de débloquer l'héritage, Josef Nasi alias Juan Micas se rend à Milan où, dénoncé par l'Inquisition, il est condamné à mort. En 1548, tandis qu'à Venise, les deux sœurs De Luna-Mendès-Nasi sont jetées en prison, il parvient à fuir vers Istanbul et obtient l'appui du sultan Soliman. Grâce à lui, une première lueur d'espoir apparaît à l'horizon dangereusement obscurci du peuple juif. Soliman le Magnifique, redoutable conquérant et chef des Croyants, prend d'abord parti pour les Nasi. Puis à leur suite, lui l'illustre musulman prendra parti pour l'ensemble de la communauté juive européenne. Son choix, évidemment, ne sera pas religieux mais éminemment politique et économique.

Reprenons la route, puisque c'en est une... En 1550, à Venise, un décret d'expulsion est émis contre les Juifs, interdisant aux Marranes tout commerce avec la Sérénissime. Peu de temps avant la publication du décret, peut-être à la faveur d'une confidence, Beatriz a réussi à rejoindre Ferrare et à se mettre sous la protection du duc d'Este lequel, outre Calvin, tenait ouvertes les portes de son duché aux Juifs en fuite. Ne dirait-on pas un thriller religieux, comme on aime tant à en publier de nos jours?... La traque se poursuit mais jusque-là, Beatriz de Luna-Mendès, accompagnée de sa fille Reyna, semble ignorer les dangers et même défier le destin.

Même si le duc d'Este les protège – pour combien de temps encore – la situation des Juifs en 1550 est exactement celle d'un condamné en cavale. Beatriz devrait se cacher sinon pour elle-même du moins pour assurer la sécurité de sa fille qui a atteint sa 21e année. Elle n'en fait rien. Au contraire, comme si cette traque infernale l'avait décidée à défier le Tout-Puissant dans une partie de roulette, c'est le moment qu'elle choisit pour afficher son identité au grand jour. Comme si l'affirmation de son identité passait par l'affirmation de sa foi. Âgée de 40 ans, exilée à Ferrare, Beatriz de

Luna-Mendès reprend son nom juif, Gracia Nasi. À quoi bon s'affubler plus longtemps d'un masque qui, à défaut de tromper quiconque et de vous protéger, étouffe votre âme et salit votre orgueil. Car Gracia Nasi n'a cessé d'être juive, dans la fierté mais aussi dans la pratique quotidienne. À partir de 1550, elle imposera son nom et sa religion; pour les milliers de Juifs pourchassés, exécutés et exilés, elle devient la Señora, la Splendeur de l'exil. Le phare du peuple martyr, et son espoir aussi.

Gracia Nasi fait une chose extraordinaire, autant sur le plan religieux qu'artistique, et qui inscrit son nom dans l'histoire littéraire et religieuse. Elle fait publier la fameuse Bible de Ferrare, bible écrite en judéo-espagnol, la langue des Marranes. C'est un objet précieux, unique, publié en 1552, objet d'art inestimable et qui aujourd'hui, ironie du sort, est conservé au Vatican.

En 1553, la peste décime Ferrare, et les Juifs sont rendus responsables de la catastrophe qui s'abat sur la ville! Il faut donc les expulser. Le duc d'Este qui jusque-là protégeait la diaspora exilée, se trouve contraint d'aller dans le sens de sa population. La famille Nasi, une nouvelle fois, fait ses valises. Elle est néanmoins richissime, parce que l'héritage de Diogo, le frère de son mari, a enfin été débloqué. Néanmoins, la cour de France doit des sommes considérables aux Nasi, qui ne leur seront jamais rendues jusqu'à ce que Soliman le Magnifique s'en mêle et fasse brûler les flottes françaises pour que l'argent soit restitué... Ayant récupéré son argent, Gracia Nasi se met en tête de racheter l'émeraude du vice-roi des Indes et part seule, clandestinement, à Venise. Reconnue, elle se fait arrêter. Son goût pour l'aventure et le défi permanent semble l'avoir entraînée trop loin et en cette année 1553, rien ne semble plus pouvoir la sauver.

Mais c'est sans compter avec Joseph Nasi qui, en quelques années, est devenu l'un des bras droits du sultan. Soliman intervient pour la seconde fois dans la vie de Gracia, qu'il n'a encore jamais rencontrée. Fin 1553, il invite officiellement la famille Nasi à venir s'installer à Istanbul, marquant ainsi la fin de l'errance pour Gracia. Elle devient la grande dame d'Istanbul. En 1554, Reyna, fille de Gracia, épouse Joseph Nasi, à Istanbul, et Gracia en profite pour faire rapatrier les restes de son mari dans la vallée du Josaphat, à Jérusalem, puisque que la Palestine à cette époque appartient à l'empire ottoman.

C'est le dernier refuge. On peut dire véritablement que Gracia Nasi, et aussi Joseph Nasi, auront joué leur rôle de sauveteurs du peuple juif en ce milieu du XVIᵉ siècle. Soliman en 1556, après avoir officiellement reçu Gracia Nasi et nommé son neveu Joseph – alias Juan Micas puis Yussuf Mendès, que ne faut-il faire en cette époque pour sauver sa peau ! – duc de Naxos, Soliman prend officiellement parti pour les Juifs contre le pape. Cela équivaut à un sauf-conduit, une véritable garantie de vivre et de prospérer en tranquillité. En 1558, Joseph devient ainsi prince juif de l'empire ottoman – tant qu'à faire ! – prince juif de l'île de Malte laquelle, à l'époque, appartient à l'empire du Magnifique... Sur décision de Soliman, Joseph-Yussuf se retrouve à la tête de la flotte impériale, tant militaire que marchande ; il acquiert ainsi un rôle considérable auprès de Soliman d'abord, et ensuite auprès du fils de Soliman, Selim II. Rien ne l'empêche dès lors d'abuser de son pouvoir ni surtout de décider des plans qui lui permettront de se venger contre les royaumes européens soumis à l'Inquisition parmi lesquels certains, dont la France, lui doivent encore des sommes considérables... On ne sait guère ce qui, des intérêts économiques ou des intérêts religieux porte l'autre. Peu importe, la foi toute façon est avant tout destinée à appuyer l'expansion économique et politique. L'essentiel n'est-il pas qu'à partir de 1556 et jusqu'en 1920, les Juifs trouvent un temps d'accalmie au sein de l'empire ottoman.

Jusqu'à sa mort, en 1566, sous les remparts de Szeged, Soliman, commandeur des Croyants, chef d'un empire qui jamais n'a imposé la conversion à ses sujets, ne cessera de témoigner de son respect et de son admiration pour Gracia Nasi, en hommage à son affirmation identitaire et religieuse. Il dit ouvertement son admiration pour cette femme autoritaire, hiératique, qui parle très peu, qui est extrêmement sérieuse, qui impose un respect immédiat à tout le monde, y compris à lui, au cours des rares rencontres qu'ils auront eues de leur vivant.

Doña Gracia Nasi jouera un rôle très important dans les affaires les plus déterminantes, les batailles navales et commerciales les plus importantes de l'empire ottoman. En 1558, imposant un blocus naval à Venise, elle voudrait perpétuer l'embargo pendant encore deux ans. Ce n'est pas Soliman qui s'y oppose, ce sont les rabbins, celui d'Ancône et celui d'Istanbul. C'est sa première défaite, c'est aussi la première fois que quelqu'un dans sa vie ose lui dire non et lui tenir tête. Elle cède. Ancône, Gênes, Venise, retrouvent leur capacité de commercer avec le Proche-Orient. Mais c'est elle qui avait raison, même si elle a cédé, finalement, devant l'insistance des rabbins. Venise et Raguse, actuelle Dubrovnik, retrouvent leur puissance économique. Néanmoins, cet épisode témoigne de son influence et de son intégration à Istanbul. À la mort de Soliman, elle a 56 ans, et nourrit l'impression d'avoir accompli ce qu'elle devait accomplir pour son peuple. À Istanbul elle vivait tout à fait tranquille, enfin, pratiquant la religion juive dans la liberté et la paix, dans le respect et la dévotion de son peuple, massivement immigré dans l'empire musulman. Pour le peuple juif, Gracia Nasi apparaît comme une mère, celle qui l'a sauvé de la mort, celle qui lui a trouvé une terre. En plus de lui avoir donné une bible dans leur langue, et rétabli le droit de s'appeler de son vrai nom. Et bien sûr, pour le plus grand intérêt de Soliman, puis de l'empire ottoman. Elle est la Señora de l'empire ottoman, la señora du peuple des fils de Sion...

En 1563, juste avant sa mort, Soliman franchit encore un pas : il offre Tibériade, en Palestine, à Gracia Nasi. C'est ni plus ni moins comme s'il lui avait offert un bout de la terre de Sion que tant de sionistes, Theodor Herzl le premier, revendiqueront à partir de la fin du XIXe siècle. Et puis, sa fin est tragique, mais avez-vous remarqué que la plupart des «aventurières» ont connu des fins tragiques?...

1569... Gracia Nasi n'a que 59 ans ... Un incendie monstre ravage Istanbul. Elle disparaît probablement dans cet incendie. Probablement parce que sa mort reste tout à fait mystérieuse. Pour la communauté juive d'ailleurs, c'est là un mystère très douloureux parce qu'on n'a jamais retrouvé son corps, sans vraie certitude ni du lieu ni de la date véritable de sa mort. Doña Gracia Nasi, la Señora, s'est évanouie... D'elle il n'est resté que cendres et vent pour disperser ces cendres... Drôle de conclusion pour une vie d'errance. Gracia Nasi s'est évanouie, sans laisser de trace, après avoir fondé une terre d'accueil pour son peuple, du moins pour quelques longs siècles. Et un texte, leur texte, la Bible de Ferrare qui reste comme la preuve posthume de la foi, et du caractère incroyable de cette femme exceptionnelle.

Plus tard, un étudiant, Christopher Marlowe, un soir où il fut fort aviné, confondant vérité et désirs, écrira un hommage à la Señora et à Joseph Nasi, le fabuleux duc de Naxos, sous le titre du célèbre *Juif de Malte*. William Shakespeare lui-même s'en inspirera pour son *Marchand de Venise*.

Catherine Clément, dans sa célèbre biographie conclut ainsi :

Au Portugal, dans le village de Belmonte, une poignée de marranes, qu'on appelle des judeos, allument encore aujourd'hui une lampe de terre cuite le vendredi soir, et l'enferment aussitôt pour que le village ne la voit point; ils pratiquent une rudimentaire fête de Pessah, fermant les portes et les fenêtres, et célèbrent la sortie d'Égypte qui les a délivrés de l'Inquisition, disent-ils. Il ne leur reste qu'un seul mot hébreu, Adonaï. Et lorsqu'on ouvre une synagogue, lorsqu'un rabbin fait revivre la religion juive authentique parfois, ils la refusent, et préfèrent les rites dégradés hérités d'une clandestinité vieille de cinq siècles, toujours aussi vivante, et toujours rejetée par la communauté villageoise.

La mémoire de la Señora ne se perdit pas tout à fait: à Lisbonne, dans un grande maison portugaise, une femme juive du XXᵉ siècle, hantée par l'histoire de son peuple, crut tout au long de sa vie qu'elle était la réincarnation de Beatriz de Luna, épouse de Francisco Mendès, ou plutôt, Doña Gracia Nasi, Ha-Geveret, la Dame du peuple juif...

Et moi qui ne suis pas juive mais qui comprends encore bien les arcanes secrètes de l'âme séfarade, je me souviens presque de cette femme aux convictions si affirmées, au caractère trempé dans le roc, au port si droit et si fier, cette femme douce et blonde qui au bout de la traque, au bout de l'exil, condamnée à disparaître, décida un jour de défier Dieu, Lui l'Innommable, dans une vulgaire partie de dés.

Et qui gagna.

MAAKA-RÊ — HATCHEPSOUT

(V. 1540-1483 AV. J.-C.)

*M*aaka-rê-Hatchepsout, seule femme pharaon d'Égypte fut une calomniée.

Et pourtant, en ce XVIᵉ siècle avant notre ère, elle travaille fort pour ramener l'Égypte au niveau où elle doit être. Contrairement à Néfertiti, elle ne s'aventure dans aucune réforme religieuse mais, tout au contraire, incarne et consolide, les principes des prêtres d'Amon alors au pouvoir.

Révolutionnaire, elle l'est néanmoins de par la manière dont elle s'installe au pouvoir, par sa manière de gouverner et par les réformes économiques et architecturales qui accompagnent son règne. Ainsi donc que lui reproche-t-on? Christiane Desroches-Noblecourt écrit que ses détracteurs furent «plus royalistes que le roi» et qu'ils s'offusquent simplement du fait qu'elle soit, malgré tout, une femme.

Ce milieu du XVIᵉ siècle avant J.-C. est une période particulière de l'Égypte ancienne. Les trois pharaons Thoutmosis Iᵉʳ, Thoutmosis II et Thoutmosis III n'ont pas de descendance mâle et deviennent pharaons par leur mariage avec les héritières légales. C'est en utilisant cette situation particulière à son profit que Maakarê-Hatchepsout devient pharaon à son tour..

Toute l'aventure vient de ce que Thoutmosis Ier, son père, n'eut pas de fils de sa mère, la Grande épouse royale Ahmès, qui lui avait déjà, par son union, conféré les droits au trône. Aussi décide-t-il d'installer un de ses bâtards sur le trône, en le mariant avec celle qui est son héritière légitime, Hatchepsout. Celle-ci vers 20 ans, est mariée avec celui qui est son demi-frère permettant à ce dernier de devenir Thoutmosis II et de régner de 1520 à 1504 av. J.-C. La date du couronnement de Thoutmosis II permet de dater la naissance d'Hatchepsout vers 1540. La voilà donc devenue Grande épouse royale de Thoutmosis II.

L'Égypte sort d'une période néfaste dominée par les Hykos au pouvoir défaillant et morcelé. Thoutmosis Ier avait glorieusement rétabli des positions au Soudan, en Syrie du Nord et en Mitanni, aidant ainsi à la relève de son royaume. Thoutmosis II, à la personnalité maladive et banale, se borne à maintenir les acquis paternels. Il meurt en 1504, laissant Hatchepsout veuve et mère de deux filles. Pour la troisième fois depuis le début de la dynastie, le trône dépend d'une femme. Fallait-il que la reine, ayant de naissance les qualités requises et dotée d'un caractère audacieux, s'effaçât encore devant un neveu qu'elle devait marier à sa fille aînée pour qu'il pût régner? Tout laissait prévoir qu'au contraire, elle ferait mieux que son médiocre époux, ou qu'un jeune prétendant à peine pubère? Mais pour régner, elle doit néanmoins unir les jeunes enfants. Ce qu'elle fait en 1504. Ainsi devenue régente à environ 36 ans, Hatchepsout prend seule, très vite, le pouvoir absolu. Elle ne l'abandonnera qu'en 1483. Pendant vingt-deux ans, disent les textes, «elle dirigea les affaires du pays selon sa propre volonté.»

Les représentations qui nous restent la montrent comme une jeune femme mais le plus souvent, elle apparaît telle un éphèbe, arborant le pagne antique et les couronnes du sacre, portant la barbe rituelle, divinité archaïque, dont la possession confère une force spéciale. Son protocole, cependant, affirme sa position, en soulignant le *genre féminin* de ses qualificatifs: l'épithète de taureau puissant attribué à ses prédécesseurs est supprimé au profit de celui de Maaka-rê, Fille de Rê, Reine du Ciel dont l'emblème sera Hathor, la déesse à tête de vache portant entre ses cornes une lune pleine.

Dès le début de son règne, Hatchepsout charge son plus intime ami, l'architecte Senenmout, d'ériger son temple funéraire au pied du cirque de Deir el Bahari, sur la rive gauche du Nil, non loin de Louxor. Ce temple est selon Christiane Desroches-Noblecourt, un «véritable Versailles funéraire qui possédait trois terrasses ornées de portiques harmonieux». Une aile du monument est consacrée à la représentation de sa naissance divine, la consacrant ainsi héritière choisie des dieux. Par cette consécration, elle annule le mariage de sa mère Ahmès avec Thoutmosis Ier qui s'efface devant Amon. Elle s'affirme ainsi née des paroles d'extase prononcées par Ahmès éblouie, qui forment le nom d'Hatchepsout, enfant prédestinée issue de cette théogamie. Ainsi devenue fille directe du dieu Amon, elle se fait reconnaître comme celle qui était destinée à monter sur le trône du dieu Horus. Sur les bas-reliefs de Deir el Bahari, les Magiciens proclament les Cinq Grands Noms d'Hatchepsout, tandis qu'on célèbre le rite de la Réunion des Deux Terres. En réalité personne ne l'a nommée Pharaon. Décidée à rectifier les injustices de l'Histoire qui ne permettait pas aux héritières légitimes d'accéder à leur juste place, elle s'est nommée pharaon elle-même, en utilisant les circonstances exceptionnelles du moment. Mais après elle, aucune autre reine n'y parviendra.

Avant même le trépas de son époux Thoutmosis II, Maaka-rê-Hatchepsout a fait son choix parmi les fonctionnaires du royaume, se conciliant ainsi Hapouseneb, investi des fonctions de Grand Prêtre de tous les dieux et Prophète d'Amon, pour lui confier aussi la charge de vizir. Ainsi les pouvoirs temporel et spirituel étaient-ils dans la même main. Mais c'est le vizir, et non le grand prêtre, qui gouverne en maintenant le clergé d'Amon dans une dépendance dorée: la réaction de ceux qui plus tard hisseront Thoutmosis III sur le trône, témoigne de ce qu'ils vivent alors comme une humiliation.

Son règne de vingt-deux ans constitue effectivement une période extrêmement importante de l'histoire égyptienne. La souveraine fait bénéficier le pays d'une période de redressement pacifique et laborieux. Elle peut alors rouvrir les ateliers royaux, reconstruire les sanctuaires, orner les temples, autour desquels les écoles et les universités reprennent une activité nouvelle. Cette œuvre de mécénat incombe bien à cette princesse intelligente, au visage spirituel, à la féminité délicate, presque mutine. Elle sait influencer les plus audacieux projets architecturaux de Senenmout, à Memphis, à Deir el Bahari enfin à Karnak où elle consacre un sanctuaire de la Barque Sacrée. En quelques mois, on voit l'extraction près d'Assouan, la taille, le transport, l'ornementation et l'érection au cœur du temple, des deux plus hauts monolithes d'Égypte. Elle veut ainsi dédier au dieu Amon des obélisques d'électrum. Mais, ne possédant pas suffisamment de métal précieux, elle fait plaquer le granit d'une épaisse feuille d'or, que les Égyptiens appellent la chair des dieux et qu'ils utilisent très abondamment.

L'influence de Senenmout sur Hatchepsout est indéniable. Cet ami de prédilection jouit de toute sa confiance et est même précepteur de sa fille aînée avant qu'elle se marie avec le futur Thoutmosis III. Elle lui concède la faveur d'aménager sa tombe dans les parages immédiats de l'ensemble funéraire royal. Sépulture unique, dont le plafond porte le témoignage le plus étonnant des données astronomiques – astrologiques – de l'époque. Enfin, dans les ateliers artistiques dirigés par Senenmout, le style Hatchepsout est créé, il marquera de son empreinte les productions des règnes suivants.

Maaka-rê-Hatchepsout redresse également l'économie et les finances du pays. Elle sait que ses officiers suffiront pour maintenir un ordre dénué d'ambition inutile, aux limites de l'Empire. Elle entend imposer sa puissance par de grands travaux dans le pays, l'exploitation des carrières délaissées, la bonne gestion des finances, l'apport de produits que l'Égypte ne possède pas encore. Thoutii, chef de la Maison de l'Argent et de l'Or, veille sur les impôts ; Nehesi, directeur du Sceau et chef-trésorier, prend la responsabilité de renouer avec le pays de Pount, le pays des aromates – connu des Égyptiens depuis l'aube de l'histoire, bien avant qu'on en fasse le principal commerce de la Méditerranée – situé sur les deux côtés de la Mer Rouge. Les vaisseaux de la pharaon débarquent ainsi près du Cap Guardafui, munis des pacotilles à troquer contre les produits merveilleux du pays de Pount. Ils ramènent de leurs expéditions de la poudre d'or, des animaux pour le jardin zoologique, des peaux de félins, des ivoires d'éléphants, du bois précieux, des gommes et des résines odoriférantes et ces fameux arbres à oliban dont les racines furent retrouvées par les archéologues à Deir el Bahari. Reprennent ainsi les premières relations entre les deux peuples depuis le début de la dynastie, premières collaborations qui ne soient pas imposées par les armes ou la soumission. Peu à peu, les Pountites viennent en Égypte vendre les produits de leur terre, instaurant un très fructueux commerce inauguré grâce à la sagesse visionnaire de Maaka-rê-Hatchepsout.

Mais, à l'ombre de cette prospérité, privés de leur pouvoir, les prêtres d'Amon s'impatientent. De plus, le bâtard Thoutmosis III, devenu clerc dans l'enceinte de Karnak, impatient lui aussi d'accéder sur «son» trône, noue des intrigues.

Un jour de procession, la statue d'Amon «s'incline» devant le prince déchu et semble ainsi le désigner comme élu par le truchement de cet oracle. C'est pour lui une bonne occasion de s'opposer à la puissance d'Hapouseneb. Certains historiens affirment qu'à partir de ce moment, la coterie – le petit groupe de privilégiés – dont Hatchepsout s'est entourée finira par la mener à sa perte. Mais on peut aussi penser que sans cette coterie elle n'aurait pas pu agir comme elle l'a fait. Les complots et les intrigues se multiplient vers la fin de son règne, sonnant bientôt le glas de la grande souveraine. À la disparition d'Hatchepsout, l'ordre intérieur – en dépit des cabales du temple de Karnak – était réel et l'ère de paix a permis au génie égyptien de créer de nouveau des œuvres durables ; l'administration et le trésor fonctionnent sans heurts. Thoutmosis III, en montant enfin sur le trône, va pouvoir lever des expéditions qui n'auraient jamais été possibles avant Hatchepsout, dans le pays appauvri et désorganisé laissé par Thoutmosis Ier.

La mort d'Hatchepsout constitue une inconnue archéologique. On en ignore les circonstances mais on sait qu'elle disparaît en 1483, avant sa soixantième année. Son second tombeau, dans la Vallée des Rois, a été préparé et Hapouseneb l'y fait ensevelir.

Thoutmosis III, encouragé sans doute par le clergé d'Amon qui revient ainsi au pouvoir, va néanmoins s'acharner à faire disparaître toutes traces de sa belle-mère et rivale. Le tombeau, le corps même d'Hatchepsout ne sont pas épargnés. Il fait fracasser les statues, gratter les effigies, et entasser le tout dans le fameux sanctuaire d'el Amarna, où on a déjà entassé les restes fracassés et effacés de Néfertiti et d'Akhenaton. Il a ainsi fallu attendre le XXe siècle pour retrouver les traces et reconstituer l'histoire de ces deux grandes reines – maudites – de l'Égypte ancienne: Néfertiti, la reine soleil, et Hatchepsout, seule pharaon de l'Histoire.

À Deir el Bahari, pourtant, *Maaka-rê*, écrit en rébus par Senenmout, échappe aux iconoclastes, ainsi qu'aux attentats de ces dernières années... Au cœur de Karnak, ses obélisques défient encore le vandalisme. Le geste d'Amon demeure au sommet, qui maintient sur la tête d'Hatchepsout la coiffure des pharaons alors que l'inscription éternise les paroles du Seigneur du Ciel:

J'ai donné la royauté des deux Terres et l'héritage de Toum à ma fille Maaka-rê, comme une preuve constante d'amour à celle à qui l'on a transmis sa Vie.

Et c'est tout cela que des millions de touristes et d'archéologues du monde entier continuent encore de visiter, rendant hommage à l'intelligence, l'audace, la clairvoyance et la créativité d'Hatchepsout.

HÉLOÏSE

1100-1168

*D*ieu que celle-ci m'énerve! Et comme il m'insupporte que sa célèbre histoire avec Abélard soit toujours présentée comme l'une des plus belles histoires d'amour du millénaire!

Peut-être, sans doute, ne comprenais-je rien à l'amour sublime, pas plus qu'à la notion de péché et de rédemption, toutes ces notions qui semblent vouloir justifier qu'une jeune fille de 17 ans, éminemment talentueuse et cultivée autant qu'amoureuse et remplie de désir, abandonnât tout – y compris son enfant, y compris sa féminité, y compris ses talents, et jusqu'à elle-même – pour suivre les diktats religieux d'un égoïste, aussi grand philosophe qu'il fût...

L'histoire d'Héloïse est horrible. Si j'avais une fille, je la lui raconterais pour l'inciter à vivre pleinement sa vie, toutes les facettes de sa vie. Orpheline, Héloïse n'a pas eu de mère, pas de père non plus. Son histoire prouve à quel point cela lui a manqué.

Héloïse naît à Paris en l'an 1100. Paris en ce début de XIIe siècle constitue l'épicentre, le fleuron religieux de l'Europe et du catholicisme qui débute là sa plus flamboyante époque. Mais Paris, c'est aussi le centre de la philosophie, des arts, de la culture, de la littérature.

La Sorbonne est créée et Abélard en est l'un des plus illustres professeurs, adulé par ses élèves, redouté par ses collègues, critiqué par ses concurrents philosophes et théologiens. Abélard est un pur et dur. Il ne fait jamais aucun compromis et sa philosophie prône la ligne des textes originels des Pères de l'Église. Forcément, il s'attaque de plein fouet aux édits du pape, puisque le catholicisme se construit justement en déviant des textes originels des Pères de l'Église, et cela est d'autant plus original qu'il est lui-même prêtre, abbé de Saint-Gildas. La communauté de Saint-Gildas est en soi très particulière puisqu'elle réunit des repris de justice qui, au lieu d'être pendus ou jetés en prison, sont envoyés à l'abbaye pour devenir moines.

Abélard possède donc l'habitude d'enseigner d'une part aux élèves de la Sorbonne, et d'autre part de mener des marginaux vers la discipline religieuse sinon à une véritable conversion. On dit de lui qu'il exerce une réelle fascination sur son entourage et qu'il démontre un charisme extraordinaire avec, en plus, une parole tonitruante, une intelligence extrêmement vive, un regard magnétique. Pour tout arranger, il est beau et plus que beau, impressionnant. Dès leur première rencontre, ce personnage foudroie la belle, jeune et innocente Héloïse. Il ne pouvait en être autrement.

Cela a lieu dans le quartier de la Cité. Et bien sûr, puisque Paris n'est pas très étendu à l'époque, non loin de Notre-Dame. Héloïse a 17 ans. C'est une jeune fille très cultivée. Elle est orpheline et est élevée par son oncle Fulbert, riche artisan commerçant. Il possède de beaux domaines, des jardins, et veut que sa nièce, qui depuis toujours fait montre d'un esprit extrêmement curieux et d'une intelligence vive, profite effectivement de l'enseignement et de Paris, fleuron de l'intelligence et de la religion à l'époque. Pour sa part Abélard a 38 ans, donc plus du double. Ils se rencontrent dans la rue, quasiment au pied de Notre-Dame. La scène de la rencontre est éminemment romantique.

Le coup de foudre est réciproque. Peu de temps après, Abélard devient, à la demande de l'innocent oncle Fulbert, le maître en latin, en religion et en histoire d'Héloïse. Fulbert est très satisfait autant que rassuré. Abélard n'est-il pas un homme respectable et respecté, tellement plus âgé que sa nièce et, de plus, moine... Ni l'oncle ni son entourage ne s'offusque de les voir passer autant de temps ensemble, et autant qu'ils le veulent, jour comme nuit, enfermés dans la chambre d'Héloïse...

Effectivement Fulbert tombera de haut et avec des envies de vengeance à la hauteur de son innocence première.

Héloïse est ravie comme la Lol V. Stein de Marguerite Duras, c'est-à-dire qu'elle tombe dans une espèce de rêve éveillé, comme saisie par cet amour d'autant plus étonnant que c'est une cérébrale, une intellectuelle. Elle ne connaît rien aux travaux des champs, ni aux travaux ménagers et encore moins à la cuisine, qui la désintéresse totalement. D'ailleurs, Abélard mettra aussi à profit son intellect. Elle est subjuguée, dès leur rencontre et pour le restant de ses jours. Lui est auréolé de gloire, orgueilleux, d'un orgueil aveugle qui le conduira à commettre beaucoup d'imprudences. Mais il est positivement fou d'Héloïse, consumé par le désir sexuel. Lui-même l'a écrit à un ami, sous un angle extrêmement moraliste, et sous le titre d'*Historia Calamitatum*, considérant qu'il lui est arrivé une calamnité. Néanmoins, il avoue dans ces textes qu'il n'a jamais connu de transport physique de cet ordre. Il est fou de cette jeune fille. Et elle, elle est complètement fascinée.

Ils passent beaucoup de temps ensemble dans la chambre de la jeune fille. Un jour, elle est enceinte. Elle y lit la volonté de Dieu et n'y voit aucun problème, puisque bien sûr, il va l'épouser; bien sûr, les choses vont se régulariser; bien sûr, son oncle sera très content... Abélard ne voit pas du tout les choses du même œil. Il a des engagements, et par-dessus tout il est moine. À l'époque, les prêtres ne sont pas encore interdits de mariage, mais lui, il est moine. Il a fait vœu de chasteté, vœu qu'il ne respectait pas même avant de connaître Héloïse. Ils sont contraints à la fuite.

J'ai eu la chance de lire la biographie des amants rédigée par Jeanne Bourin qui pour une fois, illustre le point de vue d'Héloïse alors qu'on a eu l'habitude de le voir par les yeux d'Abélard. Héloïse exprime l'amour d'une femme subjuguée physiquement, ayant soif de lui, mais ayant soif aussi de son intelligence, de son aura, de sa brillance. Elle raconte le récit de leur fuite vers la Bretagne, chez la sœur d'Abélard qui les attend. Elle est déguisée en religieuse, pour cacher son état. Ils apparaissent comme deux simples pèlerins alors qu'en réalité, ils fuient à cheval. Héloïse gardera de cette fuite et des trois semaines de voyage, un souvenir impérissable – qu'elle appellera «leur voyage de noces» et qu'elle cultivera comme le moment le plus magique de son existence. Elle y fera réfé-rence et y pensera comme à un temps de communion, de désir et d'amour mutuels, d'autant qu'il s'agira du dernier. Elle s'en rappellera jusqu'à la fin de ses jours.

L'enfant naît quelques mois plus tard, en l'absence d'Abélard retourné à Paris pour ne pas éveiller les soupçons. Évidemment l'oncle Fulbert est très inquiet mais rien ne lui laisse soupçonner que sa nièce ait fui avec son professeur. L'enfant est prénommé Pierre, comme son père. Abélard se rend au chevet de la mère et de l'enfant et offre une bague à Héloïse. Bien sûr, il n'y a pas de mariage réel. Il lui donne simplement cet anneau puis, aussitôt, ils repartent. Héloïse, qui n'imaginait sans doute pas que les choses se passe-raient ainsi, accepte néanmoins d'abandonner son enfant à la naissance, par amour pour cet homme. Elle ne reverra pas son fils jusqu'à son lit de mort, 48 ans plus tard.

À travers ce premier épisode, et les suivants, la méprise apparaît clairement. Si la foi, ou du moins son interprétation de la foi, guide Abélard, ce n'est pas nécessairement Dieu ni la foi qui guident Héloïse. C'est l'amour qu'elle a pour cet homme, Pierre Abélard. Elle l'affirme d'ailleurs elle-même jusque sur son lit de mort : « Seul Dieu sait à quel point c'était une méprise ». Héloïse s'est soumise à tout, s'est pliée au plus inadmissible, dans l'espoir qu'il lui revienne et que tout recommence comme avant...

Je crois que, d'une certaine manière, c'est à travers l'amour qu'elle avait pour lui qu'elle a vécu quelque chose de très proche de la fascination mystique. Ce n'est qu'à travers cette chair humaine qu'elle a transcendé la présence physique de l'homme. Abélard se révèle avoir sur la question des vues tout à fait différentes.

Fulbert est furieux au-delà de la fureur que l'on puisse imaginer. Il est furieux contre Abélard, furieux d'avoir été trompé, joué, escroqué... Il enferme sa nièce, et refuse de voir l'enfant. Finalement, il consent à ce que les choses s'arrangent si Abélard veut bien épouser sa nièce. Héloïse est certaine que son amant magnifique acceptera d'abandonner le monachisme pour elle. Mais il refuse. Selon sa vision pure et dure des choses, l'amour impossible avec Héloïse, puis l'immense souffrance qui en découle pour tous, lui semblent un signe de Dieu, une punition divine. Il pense devoir l'endurer et ne cherche pas à s'y soustraire. Il pense avoir commis une faute éternelle. Héloïse est convaincue d'avoir commis la plus belle des choses. Elle l'aime hors de toute idée de péché. De quelle faute parle-t-il ? Elle s'interroge mais ne comprend pas. C'est lui qui lui dicte les réponses et lui montre la « voie de la rémission »...

Il est dans la faute. Il s'y vautre. Il va expier à la mesure de ses conceptions puisque, finalement, ayant refusé d'épouser Héloïse, une nuit, il est castré sur son lit. Le complot est sans doute ourdi par l'oncle Fulbert. Évidemment, il manque de mourir. Et, du jour où cette catastrophe, cette calamité, lui arrive, il y voit la punition méritée de Dieu. Il parvient même à persuader Héloïse qu'elle est responsable de ce qui lui est arrivé. Après la fascination, elle plonge dans la culpabilité, puis dans la recherche de rédemption. Fascination, culpabilité, rédemption, le triptyque habituel du catholicisme flamboyant du Moyen Âge.

Oui, cette histoire m'énerve! Comment cette jeune femme, tellement belle, tellement intelligente, intellectuelle, cultivée... accepte-t-elle une telle cérémonie expiatoire? Elle sait ce qui est arrivé à son amant et en reste complètement abasourdie, et culpabilisée au-delà de toute description. Lui en profite pour lui dire: «Non, c'est un châtiment juste, mérité! À partir de maintenant, je vais retourner à ma vie de moine, et vous...», puisqu'il ne la tutoie plus... «...vous devez également canaliser votre énergie dans le travail, la prière, et donc, fonder un ordre et rentrer dans les ordres!» Et elle lui obéit à la lettre, le jour même où il émet cet avis, cet ordre. De son côté, évidemment, il n'a guère d'autre choix!

L'oncle Fulbert met tout en œuvre pour la séparer de cet homme, répétant qu'il lui pardonne tout, qu'elle peut ramener son enfant, qu'il s'occupera d'elle, qu'elle épousera quelqu'un d'autre, qu'elle est capable de vivre sa vie de femme... C'est un discours très moderne pour l'époque, qui correspond aussi à l'éducation qu'il a souhaitée lui donner, mais qui illustre aussi le fait que les femmes ont un rôle extrêmement moderne dans le Paris des XIIe et XIIIe siècles. Elles sont même très dominantes. Héloïse aurait donc pu revivre. Mais non! Elle abandonne son enfant, elle abandonne sa vie, elle suit à la lettre ce qu'Abélard lui dit, toujours dans l'idée de mériter ainsi son pardon et surtout, son retour. Elle rentre dans les ordres. Elle va effectivement devenir d'abord la prieure principale du célèbre prieuré de Saint-Germain-des-Prés, à Paris, jusqu'à ce qu'elle et ses congénères en soient expulsées. Par la suite, Abélard ayant fondé le Paraclet, un monastère, elle en devient l'abbesse. À partir de la rocaille nue, dix femmes vont bâtir ce couvent, travailler comme des folles de Dieu, sous le soleil, à mains nues, sans rien. C'est pire que la vie décrite par la Québécoise Marie Morin lors de la fondation de Ville-Marie. Vraiment... Elle accomplit ce travail inhumain, toujours avec l'idée et le souvenir de Pierre Abélard, dans son corps et dans sa tête. Avec au cœur, chaque jour et chaque heure de sa vie, cette espérance de lui, encore et toujours.

Abélard ne donne pas signe de vie pendant dix ans, il ne lui envoie pas un mot, ne lui fait aucune visite. Lorsqu'il la revoit, il ne lui dira plus jamais un seul mot relatif à leur histoire, et ce jusqu'à la fin de ses jours. C'est elle qui le dénoncera sur son lit de mort: «Quelle méprise!»

Leur relation se transformera en une histoire d'amour divin. C'est ainsi, n'est-ce pas que l'on aime tant à parler de l'histoire d'Héloïse et Abélard? La sage Héloïse... Alors, oui, elle aura accompli un travail théologique phénoménal, mais malgré elle, malgré sa nature. Et lorsqu'elle écrit cela à Pierre Abélard, il lui répond qu'elle s'ignore et qu'en réalité, elle doit se contraindre, parce que c'est ainsi que sa nature se révélera véritablement. Elle s'y contraint. Et finit par ne même plus se plaindre.

Pour moi la seule question intéressante demeure celle-ci: Héloïse fut-elle une aventurière de Dieu, un instrument de Dieu, ou un instrument d'Abélard pour Dieu? Je pense qu'elle fut un instrument de Dieu à travers Abélard, sans que cela n'enlève rien à sa culture et à l'œuvre théologique que cette intellectuelle aura su laisser en même temps qu'elle aura, de ses mains, bâti le Paraclet. C'est un instrument, Héloïse, oui...

Abélard mourra en 1142, Héloïse en 1168 – à 68 ans. Et jusqu'à la fin, elle couvera en secret le doux souvenir de cet amour incarné... unique et absolu. «Je vais mourir dans la méprise et comment Dieu va-t-il m'accueillir?» se demande-t-elle sur sa couche mortuaire.

Aux dernières heures, son fils, Pierre, vient s'agenouiller aux pieds d'Héloïse mourante. Il ne l'a jamais vue, ne s'en souvient pas. Il est devenu moine. Il est venu voir sa mère. Il est venu lui dire qu'il lui pardonnait.

HILDEGARDE

1098-1179

J'aurai sans doute parlé de la célèbre Hildegarde dans cette série consacrée aux grandes aventurières, mais l'anecdote qui a motivé son choix est autrement plus intéressante.

Je voulais raconter la vie d'une aventurière autochtone. Demandant conseil à Charles Coocoo, chef Montagnais, il me répond: «Il y a une grande dame que nous, Amérindiens, nous vénérons, c'est dame... Hildegarde de Bingen»!...

Surprise prévisible à bien y réfléchir ... Au XIIe siècle d'Hildegarde, le christianisme n'est pas encore éloigné du mysticisme et beaucoup plus empreint qu'il ne l'est aujourd'hui de cette relation, chère aux Amérindiens, entre le microcosme et le macrocosme.

Le XIIe siècle européen est marqué au fer du christianisme mais aussi, évidemment, par les Croisades, et ce qu'elles ont, outre l'horrible carnage qu'elles furent, apporté à l'Occident. Que nous ont apporté les Croisades? Les connaissances du monde arabe auxquelles le monde occidental n'aurait pas eu accès autrement. Et en particulier la connaissance médicale, médicinale et herbale des Arabes. Cela nous concerne ici parce que ces plantes découvertes et importées seront cultivées et utilisées par Hildegarde.

Par ailleurs, c'est la prise de Jérusalem par Godefroy de Bouillon qui marque le début des ordres chevaleresques. Ceci aussi est important pour la suite de l'histoire. En ce passage du XIᵉ au XIIᵉ siècle, la christianisation de ceux qu'on appelait auparavant «les barbares nordiques», inaugurée avec Charlemagne au IXᵉ siècle, s'épanouit. Ceci prend son importance puisque Hildegarde naît dans la région catholique de Hesse, dans l'actuelle Allemagne qui, un siècle auparavant, n'était pas chrétienne. Dans cette Europe qui se construit, l'architecture joue un rôle extrêmement important, avec l'apothéose de l'art roman. Hildegarde apprend également l'architecture. Hildegarde est donc une femme tout à fait complète, un personnage considérable, une héroïne épique aussi, mais qui, néanmoins, aura passé la moitié de sa vie dans l'ombre. Il faudra en effet attendre 43 ans pour que se révèle au grand jour son immense génie que, à l'instar de ses herbes, elle aura cultivé à l'ombre pendant deux longues décennies.

Elle naît en 1098, dans une famille noble et très catholique. Son père est le baron Hildebert von Bermersheim, et sa mère la princesse Mechthild. Hildegarde est la benjamine de 10 enfants, cinq d'entre eux auront un destin directement relié à la religion, de différentes manières. Une chose frappe chez Hildegarde dès la prime enfance: elle a des visions. Cela la persuade très tôt à se destiner à la vie religieuse et à la guérison, celle des malades bien sûr, mais aussi celle de l'âme. Sa vocation se révèle précoce.

En 1108, âgée de huit ans, elle entre dans un couvent bénédictin créé par le comte von Spanheim pour sa fille Jutta. Elle y vient en élève. On lui apprend la botanique, l'architecture, la musique et on lui transmet aussi le récit des

Croisades qui l'enthousiasme. Elle prononce ses vœux à 14 ans et reçoit le voile de la main même de l'évêque de Hesse. Elle est donc bénédictine, mais n'est pas recluse. C'est important parce qu'elle va bien sûr agir à l'extérieur, et que ce choix d'action concrète se fait jour très tôt dans sa conscience.

La petite communauté bénédictine devient très vite un véritable couvent de femmes au sein duquel Hildegarde va pouvoir grandir, et se déployer, à sa juste mesure. Entre 14 et 38 ans, elle va ainsi multiplier ses expériences et parfaire son apprentissage. Elle grandit de l'intérieur, éprouve son mysticisme, sa foi et ses multiples connaissances qu'elle divulguera ensuite à l'extérieur. Bien sûr, très tôt, ses prédispositions d'âme, son inspiration musicale, sa science botanique et médicinale existent. Depuis le début, sa route exceptionnelle, sans doute, est toute tracée. À lire diverses biographies, cela m'est clairement apparu et a focalisé toute mon admiration.

Mais Hildegarde n'est pas qu'une inspirée. Elle s'est construite en se soumettant à un programme éducatif complet autant qu'à une discipline exigeante. Aussi mon admiration pour elle n'est pas qu'une contemplation béate, tant s'en faut! Pour moi, l'incommensurable leg d'Hildegarde de Bingen, créatrice, théologienne, visionnaire et femme d'action – sans oublier la femme-médecin que les Amérindiens louent en elle –, reste le fruit d'une volonté imparable, d'un lent et précis travail d'elle-même sur elle-même, d'une maturation et d'un perfectionnement lent et mesuré des immenses possibilités que Dieu lui avait données. Comme le disent les grands artistes, la création c'est 10 % d'inspiration et 90 % de transpiration... Avec Hildegarde de Bingen, cette phrase trouve une illustration parfaite, à une dimension exceptionnelle.

En 1136, à 38 ans, l'abbesse Jutta von Spanheim meurt. Parce que son temps de maturation et d'expérimentation semble terminé, la vie donne à Hildegarde l'occasion de mettre en application ses qualités intérieures, de manifester ses acquis. Trente-huit ans, c'est le temps du passage: la personnalité intérieure doit s'aligner sur la personnalité extérieure. Ce qui existait sous la terre doit jaillir vers le visible. Le décès de Jutta von Spanheim permet à Hildegarde de Bingen de faire éclore son printemps personnel. Ses racines sont solides et profondes. Elle va pouvoir se ramifier et essaimer. À la mort de l'abbesse fondatrice, ses paires l'élisent à l'unanimité pour lui succéder. Devenue abbesse principale, elle le restera pendant plus de 40 ans.

À partir de 1141, le génie d'Hildegarde de Bingen apparaît à la lumière. Elle a 43 ans. Elle entreprend le premier de ses écrits célèbres, le *Liber Scivias* dont le titre signifie *Connais les voies*. Dans ce livre éclatent son mysticisme et son inspiration. Deux personnages se trouvent à ses côtés – qu'il faut citer parce qu'ils ont recueilli ses pensées quand ils n'ont pas écrit à sa place: Richardis von Stadt et surtout le fameux moine Volmar, qui apparaît véritablement comme son bras droit et grâce auquel elle a pu accomplir ce qu'elle avait à accomplir.

À la parution du *Liber Scivias*, la réputation d'Hildegarde dépasse rapidement les frontières de son seul couvent à un point tel qu'en 1142, Bernard de Clairvaux, qui plus tard sera canonisé, lui adresse une lettre. Ils ne se sont jamais rencontrés et n'ont échangé qu'une missive, mais aux effets retentissants.

En 1148, elle a alors 50 ans, consécutivement au *Liber Scivias*, Hildegarde fait l'objet d'une enquête papale. Il s'agit de déterminer si elle n'est qu'une pure illuminée ou si ses écrits sont portés par une vision et une inspiration divines.

Comme je le disais auparavant, sa vision et son inspiration sont fondées sur une connaissance et un savoir considérable autant que multiple et original. Elle aura mis quarante ans à étudier des choses qui ont nourri ses visions d'enfance; c'est la manifestation de tout cela qui se trouve officiellement reconnue, après l'enquête papale. En 1148 en effet, Hildegarde de Bingen est confirmée comme visionnaire par le pape.

En 1150, à 52 ans, elle fonde le fameux couvent de Rupertsberg en face de la ville de Bingen. Son nom d'emprunt, puisque son nom de baptême est Bermensheim, lui vient de là. En réalité, Hildegarde de Bingen n'a jamais vécu dans la ville de Bingen mais en face, sur le mont Rupertsberg qui lui avait d'ailleurs été révélé dans un rêve. À partir de 1151 et jusqu'en 1163, donc entre 53 et 65 ans, elle y rédige la majeure partie de ses écrits médicinaux, quasiment d'une traite, comme si sa main était tenue par Dieu. Elle écrit trois livres illustres: le *Liber Simplicis Medicinae*, sur les sciences naturelles; le *Liber Compositae Medicinae*, sur l'art de guérir et le *Liber Vitae Meritorum*, son Livre *des Mérites*. Il faut rappeler que ces textes sont accompagnés de dessins et que ceux-ci témoignent également de son inspiration. Elle dessine des planches représentant des plantes et expliquant leur utilisation, qui restent vraiment stupéfiantes de réalisme encore de nos jours.

Sa vision de la guérison établit un lien direct entre le microcosme et le macrocosme et tend à démontrer qu'il en est sur la terre, et dans le corps humain, comme il en est au ciel. En ce sens, elle se range du côté d'un Paracelse, mais également du savoir des anciens Égyptiens, ou justement, de la médecine chinoise et amérindienne. Et effectivement elle soigne, elle guérit, et transmet son savoir aux religieuses du couvent des Bénédictines du Rupertsberg. Ses visions, ses inspirations, son savoir, sont destinés à s'appliquer sur le terrain.

Il existe un autre domaine sur lequel Hildegarde est vraiment active et sur le terrain. Hildegarde n'est pas une contemplative. Elle qui, nous l'avons dit, a préféré l'action à la claustration, est déterminée à appliquer sa vision du monde. Ses valeurs la conduisent à adopter une position politique. Dans la dernière partie de sa vie, cet aspect prend toute son importance.

Les circonstances l'y conduisent., Il faut rappeler qu'à cette époque, en Rhénanie règne Frédéric Ier, le fameux Barberousse. Chevalier héroïque, Barberousse est un grand héros des Croisades dont les exploits nourrissent divers récits légendaires.

Au moment où il est sacré empereur de Rhénanie, Hildegarde juge bon de lui envoyer ses respects. Très vite, néanmoins, les relations vont se dégrader à cause de ses prises de position politiques et religieuses – l'un n'allant pas sans l'autre à cette époque. Barberousse tente d'imposer un pape illégitime et bien entendu, Hildegarde n'hésite pas à prendre position pour le pape en place, Alexandre III. En 1168, elle ose même adresser à Barberousse une lettre courageuse où elle lui dépeint le tribunal de Dieu et l'invite à ne pas enfreindre la loi divine. Cet épisode offre une belle démonstration du personnage d'Hildegarde de Bingen. Au nom de ses convictions religieuses, elle n'hésite pas, elle la protégée de Barberousse, à renoncer au bouclier impérial. Elle continue néanmoins, à partir de 1163 jusqu'en 1173, pendant 10 ans, à écrire ce qui constituera son œuvre majeure et qui est, en quelque sorte, un résumé de ses connaissances et de son inspiration. En 1174 paraît son fameux *Liber Divinorum Operum*, le *Grand Livre des œuvres divines*. Ses dessins dépeignent ses visions de l'unité du Cosmos suscitant l'étonnement et l'admiration; s'y trouve également un répertoire complet des plantes médicinales, «D'absinthe à zidoine».

Elle-même fait montre d'une santé et d'une force de conviction tout à fait stupéfiantes d'autant que fort avancée en âge. Elle débute ses voyages de prédication à cheval à... 74 ans! Une telle ardeur se passe de commentaires: Hildegarde est une visionnaire, une artiste, une enseignante... et une femme de combats. Une femme au combat aussi, pour la justice et ce, jusqu'à son dernier souffle.

Le contexte de sa mort est marqué par la rivalité et l'opposition, ce qui concrètement témoigne de la profondeur de sa justice humaine. En 1178, Hildegarde de Bingen a 80 ans. Au retour d'un de ses nombreux voyages de prédication, elle se trouve aux prises avec un cas de conscience. Fidèle à elle-même, suivant ses convictions personnelles, elle tranche dans le vif et décide d'enterrer un excommunié dans le jardin du couvent du Rupertsberg. Elle s'insurge ainsi contre l'injustice subie par cette âme; mais l'archevêché de Mayence ne l'entend pas de cette oreille. Elle est aussitôt frappée d'interdit, menacée elle aussi d'excommunication.

Très âgée, déçue par la petitesse humaine, par l'obstination des institutions religieuses, Hildegarde de Bingen lutte courageusement pour obtenir justice. Elle écrit une longue lettre, restée fameuse, à l'archevêque Christian de Mayence, qui finalement, rempli de confusion, lève l'interdit en juin 1179. Elle obtient gain de cause mais c'est presque trop tard. La vie ici-bas la désintéresse déjà.

Elle meurt en septembre 1179, à 81 ans, au terme d'une vie remplie et effectivement exemplaire pour tous, même aujourd'hui en cette fin de XXᵉ siècle qui semble raviver son souvenir et lui rendre un nouvel hommage, à presque mille ans d'écart.

Pensez-vous comme je l'ai cru, qu'Hildegarde fut canonisée? Plusieurs écrits titrant «sainte Hildegarde de Bingen», j'ai cru que cela était vrai. Une auditrice de Radio-Canada, spécialiste du sujet, a démenti ce fait. Elle fut bien béatifiée mais non encore canonisée à ce jour. Cependant, si sont si nombreux ceux qui pensent le contraire, c'est que sans doute, la sagesse populaire lui a déjà rendu justice.

Ce qui reste certain, en revanche, c'est qu'elle continue d'inspirer des lecteurs, des théologiens, des médecins, des musiciens. Des congrès et des séminaires lui sont consacrés dans le monde et de nombreuses associations continuent de propager ses écrits, sa musique, son enseignement et son mysticisme. Une vision du monde qui témoigne d'une foi très pure, mais aussi d'une confiance dans les capacités de l'humain.

Puissions-nous, mille ans plus tard, ne pas l'oublier tout à fait, et nous en inspirer encore...

IRÈNE DE BYZANCE

752-803

*I*rène la maligne qui, d'un sourire nonchalant mais néanmoins rusé, stoppa les velléités d'expansion sudistes de Charlemagne...

Au VIIIe siècle en effet, le monde est scindé en deux blocs distincts : l'empire de Charlemagne qui couvre toute l'Europe celtique et germano-gothique, et celui de Byzance, deux fois plus important et qui, à partir de l'Adriatique, s'étend sur tout le pourtour du bassin méditerranéen. Deux puissances économiques et militaires cohabitent ainsi, mais surtout deux pouvoirs religieux qui eux se côtoient par obligation, en se livrant une guerre sourde dont Byzance est toujours sortie victorieuse, au grand dam du pape romain. Deux versions du christianisme et donc, deux types de domination politique.

Charlemagne est «l'épée de Dieu» armée et dirigée par le pape. Irène, bien que conseillée par le patriarche, tient dans ses mains fines tous les aspects du pouvoir et n'en fait qu'à sa tête, en cela conforme à la tradition des impératrices byzantines. Et Irène de Byzance reste dans l'histoire comme l'une des plus grandes, avec Théodora. Au milieu du XIIIe siècle, comme Théodora au VIe siècle, elle défend un certain type de vision chrétienne.

Elle naît en 752 au sein de l'empire byzantin mais loin encore de la capitale Constantinople. Sa famille est grecque, plus précisément athénienne, et d'origine extrêmement modeste. Ceci correspond aussi à une caractéristique de cet empire: à Byzance, les empereurs et les impératrices ne le sont pas forcément par lignée. Quelles que soient leurs origines, il leur est possible de se hisser au sommet par leurs actes, leurs convictions et leur foi personnelle. C'était vrai de Théodora, c'est vrai d'Irène dont les parents émigrent à Constantinople, en 760. Irène a huit ans.

À son arrivée à Constantinople, Irène ne semble donc avoir aucun atout pour accomplir les ambitions qui la taraudent dès l'adolescence. Aucun atout autre que son intelligence, sa conviction religieuse – qui constitue chez elle une caractéristique marquante depuis le départ, notamment son amour du culte des images, c'est-à-dire des icônes – et sa beauté. Ainsi la petite athénienne, ambitieuse et fine stratège, conquiert-elle l'empereur Léon IV qui est présenté comme un souverain un rien... pâlot. Elle ne tarde pas à faire montre d'une personnalité, de convictions politiques et de talents de chef religieux certes plus mémorables que ceux de son mari.

Le mariage a lieu en 766, en la basilique Sainte-Sophie. Elle a 16 ans. Comme toujours le mariage est acclamé par la foule, comme il se doit à l'époque réunie au Cirque Maxime, dans une véritable liesse populaire, avec ce goût du faste et du pourpre qu'affectionnent les Byzantins. Mais le mariage ne dure que 14 ans. Devenue impératrice d'Orient en 766; elle se retrouve seule au pouvoir en 780 (à 30 ans) et prend les rênes de l'Empire à la fois sur le plan économique, politique et religieux.

Il faut bien nous rappeler – parce que cela nous paraît loin et que les axes de la puissance économique et religieuse ont radicalement changé à partir du XVᵉ siècle, à quel point l'importance du bassin méditerranéen de cette époque constitue un tournant pour l'histoire tout entière de notre identité occidentale. Depuis le IIIᵉ siècle, Byzance se trouve à la tête de la flotte et du commerce méditerranéen, elle représente le centre névralgique du monde.

De l'union de Léon IV et d'Irène naît un fils, Constantin VI, alors qu'elle n'a même pas 17 ans. Elle a fait son devoir, elle a doté l'Empire d'un héritier. Elle peut donc se consacrer à son goût pour le gouvernement qui l'emporte certainement sur ses instincts maternels. Très vite, Irène de Byzance se bat contre le pape pour conserver le culte des images que le Saint-Père romain voudrait abolir. Sur le terrain théologique où elle brille particulièrement, elle va effectivement affirmer un certain nombre de principes qui vont d'ailleurs conduire à la scission entre l'Église catholique et l'Église orthodoxe quelques siècles plus tard. Son influence sur Léon IV est sans doute considérable.

Arrive l'épisode célèbre de sa rencontre avec Charlemagne, épisode à travers lequel se révèle sa grande force de caractère. Cet épisode a lieu avant même la mort de Léon IV. Ce dernier, de beaucoup son aîné, malade, lui a déjà depuis longtemps cédé les rênes de l'Empire. Elle est donc véritablement en place lorsque le pape, quelques années auparavant, a nommé Charlemagne «le bras armé de Dieu». Chargé par le pape de faire la guerre contre les païens du Nord, Charlemagne a brillamment réussi à convertir tout le nord et l'est de l'Europe, mais il se heurte toujours à la même limite, cette «bête noire du pape» que représente l'Empire byzantin et en l'occurrence la personne de son impératrice. Le pape romain rêve de trouver le moyen d'amener Byzance au sein de l'Empire carolingien et par-là même, de soumettre Byzance à l'autorité romaine?

Bien que vaillant guerrier, il ne saurait être question pour Charlemagne de déclarer la guerre à l'Empire byzantin, d'une part parce que l'armée d'Irène, sa puissance politique et sa puissance économique se révèlent à l'époque supérieures aux siennes, mais aussi parce qu'il est conscient qu'une alliance seule pourrait lui être profitable. Une alliance et non une conquête, après une guerre à l'issue fort aléatoire... Sachant Léon IV malade, Charlemagne pense donc épouser Irène, ce qu'il ne tarde pas à lui proposer en 778, lors d'une visite officielle au cours de laquelle sa nombreuse suite et lui-même sont d'ailleurs très bien reçus.

Irène, femme belle et désirable mais surtout, éminente stratège, ne lui dit ni oui ni non. Elle pourrait considérer son offre flatteuse à condition – ne doivent-ils pas unir leurs forces dès à présent, alors que Léon IV est encore vivant? – que Charlemagne la délivre de la menace des Ottomans et des Arabes, installés dans les Pyrénées, et qu'Irène redoute à juste titre. C'est un défi, une épreuve destinée à mesurer le prétendant, dans la pure tradition des drames chevaleresques que l'époque affectionne. C'est ainsi qu'elle envoie Charlemagne vers cet épisode célèbre de l'histoire occidentale, par-delà les Pyrénées, à Roncevaux.

Il s'y rend avec son armée au sein de laquelle se trouve son neveu, le fameux Roland, celui qui sera le héros de la première chanson de geste, la *Chanson de Roland*, que nous a transmis l'histoire littéraire. En 778, Irène grâce à cette ruse, précipite Charlemagne dans le guet-apens de Roncevaux. Pris en embuscade dans les cols inhospitaliers, les Carolingiens livrent une bataille qu'ils vont rapidement perdre. Non seulement Roland est-il tué, mais une grande partie de l'armée de Charlemagne périt à Roncevaux sous les armes des Maures.

La victoire d'Irène est sans bavure. Charlemagne a parfaitement compris la leçon. Le pape aussi. Dorénavant, ils la laisseront tranquille, régner sur l'Orient. Puisque leur prétendue alliance a péri au fond d'un ravin des Pyrénées, ils seront désormais face à face: Irène sera impératrice d'Orient, surtout à la mort de Léon IV en 780. Charlemagne, en contrepartie, restera empereur d'Occident. Ils seront face à face, nez à nez, une femme et un homme, mais aussi deux convictions chrétiennes tout à fait spécifiques et il ne saurait être question pour Irène d'abandonner son statut de chef spirituel.

Dans la Salle du conseil de Constantinople, trois «personnages» siègent, témoignant de la triple autorité qui régit l'empire: le patriarche qui représente l'autorité divine, l'Empereur ou l'Impératrice qui est soumis à l'autorité divine, et posé sur le troisième siège, la Bible, les Écritures dont tout relève. Mais par delà même son rôle impérial, Irène de Byzance est intimement gouvernée par sa ferveur et ses convictions religieuses.

Son fils Constantin grandit, mais il est encore trop jeune en 780, à la mort de Léon IV. Elle assure donc naturellement la régence. Son pouvoir est gigantesque. Plus rien ne peut l'empêcher de prôner les orientations théologiques auxquelles elle adhère et qu'elle va s'employer à officialiser entre 780 et 785. Mais c'est aussi une humaniste. Fine stratège, elle ne s'en obstine pas moins à achever toutes les guerres en cours contre la puissance gréco-macédonienne – cette guerre-là se réveille sporadiquement depuis au moins huit cents ans! –, contre l'Empire ottoman et contre les Maures. Elle parvient à coups de diplomaties et de pactes bilatéraux à se réconcilier sur le plan économique et politique avec ses ennemis d'hier. D'autre part, elle inaugure ce qui va rester un haut-lieu du christianisme méditerranéen: le monastère de sainte Catherine du Sinaï qui est encore aujourd'hui un lieu de pèlerinage incontournable. Appuyée par le patriarche œcuménique Tarasios, elle fait reconstruire la ville d'Antioche, deuxième grande capitale religieuse de l'Empire détruite par un tremblement de terre au VIᵉ siècle.

Le nom d'Irène reste attaché à l'un des épisodes les plus importants de l'histoire de la chrétienté: le concile de Nicée, qui a eu lieu sous l'égide et à l'initiative d'Irène de Byzance. Elle bataille déjà depuis plusieurs années contre le pape romain pour obtenir le rétablissement du culte des images. Lors de ce concile, en 787, dans la ville de Nicée en Asie Mineure, les iconoclastes sont condamnés, provoquant une scission définitive au sein de la chrétienté et la future séparation des Églises catholiques et orthodoxes. Ces visions violemment irréconciliables entre les Églises chrétiennes ne sont toujours pas terminées en cette aube du 3ᵉ millénaire. Ajoutant à ce culte des icônes la non reconnaissance du Livre des Maccabées, qu'elle ne reconnaît pas authentique et sur lequel l'Église catholique fonde pour sa part le Purgatoire, notion que la future Église orthodoxe ne reconnaît pas. Enfin, dernier point capital de discorde théologique, l'Église orthodoxe demeure nicolaïciste en accord avec les écrits du Saint-Père de l'Église, Nikola, saint du Vᵉ siècle, en faveur du mariage des prêtres, que l'Église catholique a rejeté. C'est dire combien Irène de Byzance est aussi une grande théologienne et combien ses convictions sont mûries et nourries. Le tournant qu'elle fait prendre à l'Église d'Orient se révèle aussi capital que fondateur.

Malgré tout, la fin d'Irène de Byzance est tragique. Elle succombe au goût du pouvoir... Au fil des années de règne, elle y prend sérieusement goût jusqu'à refuser de le lâcher. Cette femme exceptionnelle, cette théologienne avisée, n'échappe pas au «vertige des régentes»... Car elle n'est que régente et son fils Constantin se languit de la voir enfin lui remettre le trône qui lui revient de droit. En 790, elle est détrônée par sa propre armée rendue à la cause de Constantin VI. Ce dernier se trouve contraint de destituer sa mère par la force et monte finalement sur le trône... dans un bain de sang. Il n'en sera que plus violemment décrié par le peuple qui aime Irène et qui ne veut pas de Constantin VI.

Cette femme que l'on eut cru emplie de sagesse se lance alors dans une série de rivalités contre son fils. En 797, elle le destitue à son tour. Puis, dernier épisode en 802, âgée de 45 ans, elle est destituée et cette fois, envoyée en exil, à Lesbos – l'île des mythiques amazones! Ne survivant pas à cet exil terriblement symbolique, elle s'y éteint en 803.

Mais que devient Charlemagne? Combat-il toujours ou espère-t-il encore?

En l'an 800, il est officiellement nommé empereur d'Occident. Il a véritablement réussi à convertir au christianisme et à soumettre à sa domination tout le nord de l'Europe. Il n'a donc pas failli à sa mission. Cependant, il ne s'est plus jamais attaqué à Irène, ni à l'Empire byzantin. À l'annonce de la mort d'Irène, Charlemagne ne peut retenir cette phrase célèbre: «Ce fut une très grande reine et une reine très pieuse.» Bel hommage pour celle qui fut sa pire ennemie, et son seul échec...

Par-delà cette fin rocambolesque, Irène de Byzance est effectivement reconnue comme une reine très pieuse, puisqu'elle a été canonisée par l'Église orthodoxe, comme inspiratrice des fondations de cette Église. On la vénère aujourd'hui sous le nom de sainte Irène.

Irène de Byzance, témoin flamboyant d'une autre fin de millénaire où les femmes pouvaient avoir un pouvoir spirituel, politique et économique des plus impressionnants....

KHADIDJA, LA FEMME DU PROPHÈTE

556-616

L'Islam est né d'une extraordinaire histoire d'amour...

Cela peut d'autant nous étonner que cette religion semble aujourd'hui reposer sur une terrible scission entre les femmes et les hommes, et que cette fracture prend, pour les musulmanes, l'horrible forme de la discrimination, de l'asservissement, de la dénégation quand ce n'est pas du meurtre pur et simple. Autant d'exactions innommables qui, selon certains interprètes de la Charia, faux prophètes de la foi musulmane, correspondent aux Écritures sinon, patronage suprême, au legs du Prophète lui-même...

Il m'importait donc de faire la différence entre l'Islam et ses détournements extrémistes et pour cela, il m'apparaissait urgent de remonter aux sources de la troisième religion monothéiste, à cet amour «impossible et merveilleux» qui en fut le prime étincelle... À cette femme, belle, mûre, vaste et profonde, qui fut l'inspiratrice de l'Islam parce qu'elle fut celle du Prophète d'Allah. Son amante, son épouse, sa mère spirituelle... n'en déplaise aux ayatollahs qui, pour servir leurs desseins, voudraient gommer l'Histoire.

Il me semble rassurant que les fondateurs religieux n'aient justement pas été autre chose que des êtres humains, incarnés, amoureux, désirants, en proie au doute, à la jalousie et donc, à cause de cela, grâce à cela, en quête de dépassement et de transcendance. Cela nous prouve que les religions sont terrestres et humaines, faites par des êtres comme vous et moi pour des êtres comme vous et moi. Si une part spirituelle, mystique ou même divine existe en l'humain, elle n'existe qu'en rapport à la part charnelle et matérielle. Au royaume des planètes et des étoiles dont nous sommes d'infimes parcelles, matière et antimatière, vide et plein, ombre et lumière restent interdépendants et interpénétrants.

Ainsi Abraham, l'ancêtre de tous, eut-il deux épouses et de chacune d'elles un fils qui, chacun donna respectivement naissance aux descendants des Arabes et des Juifs, et donc plus tard, aux trois monothéismes. Ainsi Siddharta Gautama, le Bouddha, fut-il marié et père avant de prendre la route, longue et escarpée, du détachement et de l'illumination. Ainsi Moïse, et d'autres saints hommes tels que Gandhi ou Martin Luther King... Seul Jésus ne connut pas d'amour terrestre ni de descendance de chair, mais cette caractéristique n'a d'ailleurs pas cessé de profiler son ombre sur l'Église chrétienne et en particulier catholique...

Mahomet, en revanche, n'a jamais dénié que la révélation lui avait été accordée grâce à l'amour de sa femme qui l'encouragea aussi à la propager. Or, bien évidemment, dans le contexte islamique actuel, se rappeler qu'une femme, la femme du Prophète, fut à l'origine de cette religion, tout comme sa fille fut l'un des premiers imams musulmans, revêt une importance plus qu'ironique: cette vérité constitue à mes yeux un hommage tout à fait capital.

Situons le contexte dans lequel Khadidja fit autant pour l'homme Mahomet que pour la religion islamique. Nous sommes au XIIe siècle, en Arabie. Situons l'Arabie sur la carte du Moyen-Orient de l'époque. Elle est entourée à l'ouest par le florissant empire byzantin, incontournable puissance économique mais aussi religieuse, fleuron de la chrétienté, et à l'est par la Perse. En Perse, la majorité de la population est zoroastrienne, c'est-à-dire adoratrice du Soleil, et une autre partie, celle du sud, est convertie au judaïsme introduit depuis le début du XIe siècle. Ces deux empires situés de part et d'autre de l'Arabie, sont concurrents et souvent d'ailleurs en guerre. L'Arabie en subit des désagréments mais surtout des avantages issus de sa situation de passage, de territoire de transit pour le commerce, et notamment le commerce caravanier.

L'Arabie se trouve également séparée entre nord et sud. Les païens, zoroastriens et fidèles d'autres panthéons polythéistes, se trouvent surtout au nord, et tirent leur existence de l'agriculture qui a présidé à leur sédentarisation. En revanche, le sud, dont la capitale est La Mecque, est majoritairement peuplé de nomades caravaniers, des Bédouins pour la plupart convertis au judaïsme depuis 510. C'est le cas du jeune Mahomet qui vient d'une famille bédouine et vraisemblablement juive, bien qu'on n'en ait jamais acquis la ferme certitude. De toute façon, comme ce fut par exemple le cas sur tout le pourtour méditerranéen au début de l'ère chrétienne, polythéisme et monothéisme se cumulent encore sans s'exclure l'un l'autre et ainsi, le judaïsme n'exclut pas encore totalement le paganisme originel et, en particulier, les divinités féminines et lunaires.

Les Bédouins conservent des traditions extrêmement fortes. Ils sont chameliers et nomades évidemment. Juifs pour la plupart, ils n'ont pas abandonné l'adoration des divinités, et le lieu principal de cette adoration est le sanctuaire de la Kaâba, à La Mecque. La légende veut que la Kaâba ait été construite par Abraham et son fils guidés par l'archange Gabriel, qui leur fit découvrir dans le désert une pierre de méthyle – dont le nom signifie «maison de dieu» – pierre météoritique que l'on trouve dans le désert, la fameuse Pierre Noire qui constitue la pierre angulaire du sanctuaire de la Kaâba. Le génie futur de Mahomet sera d'ailleurs d'avoir conservé cet ancien lieu de culte païen de la Kaâba, connu depuis l'époque d'Abraham au XIe siècle avant notre ère, pour en faire le lieu du culte et du pèlerinage de sa nouvelle religion islamique. L'élément important est que ce sanctuaire était, de plus, situé sur le territoire de la famille de Mahomet, en l'occurrence de son grand-père paternel. Pour Mahomet, la Kaâba est, en quelque sorte, une propriété familiale même si les profits tirés de sa vénération vont directement au clergé qui gère les lieux.

Mahomet était-il juif? La question ne cesse de nous tarauder, au point que lorsque j'ai présenté cette chronique à la radio, il s'est trouvé un auditeur, (qui prouva ainsi son attention), pour me reprocher de l'affirmer... Certes, c'est une erreur... Nous ne pouvons l'affirmer, si ce n'est par ce que je viens d'expliquer, l'interpénétration du judaïsme et du paganisme de l'époque... Mais outre ceux qui s'étaient effectivement convertis au christianisme, et ceux qui suivaient strictement les cultes polythéistes, tous étaient juifs à l'époque. Faut-il que nous l'ayons oublié, ou que cela nous dérange encore et dans ce cas, pour quelle «sainte» raison?...

Mahomet naît donc vraisemblablement en 571 au sein de la très célèbre tribu bédouine des Quraychites – ce qui étymologiquement signifie «requin». Sa famille – sa tribu puisque que la notion de tribu est tout à fait centrale dans la culture bédouine – a conquis La Mecque et son sanctuaire païen de la Kaâba au Ve siècle. Le grand-père, Abdul Muttalib, est un homme très respecté. Il est très riche, il a beaucoup de chameaux et son fils, Abdallah, épouse une jeune femme, Amina, qui est bientôt enceinte. La naissance de Mahomet est annoncée à la mère comme la naissance de Jésus, toujours par le même «crieur public des messages divins», l'Annonceur en chef, Gabriel, qui, en arabe, s'appelle Djîbrîl...

Une légende prévaut à la naissance de Mahomet: à cette époque, le désert est peuplé d'anachorètes, saints ermites qui vivent dans des cavernes, selon le cycle solaire et de leurs prières... Un anachorète serait sorti de sa caverne pour prédire à Abdallah qu'il aurait un fils et que ce fils serait le *Paraclétos*. Selon l'Évangile de Jean, Jésus a annoncé qu'il enverrait un Paraclet. En grec *Paraclétos* signifie intercesseur ou intermédiaire; l'anachorète déclare donc à Abdallah que son fils sera ce Paraclet attendu. Plus tard, quand il reverra l'enfant, ce même anachorète confirmera sa vision.

Ici intervient un détail des plus intéressants, qui prouve que le père du prophète a pris cette vision très au sérieux. Les langues sémitiques s'écrivent sans voyelles. Paracletos s'écrit donc PRCLTS. Les Arabes y ont lu PeRiCLiToS et non *PaRaCLeToS*. Or, Periclitos signifie le plus loué qui en arabe se dit Mahomet... Ainsi Mahomet fut-il ainsi nommé selon la lecture arabe de l'Évangile de Jean. Selon l'annonce ainsi rapportée de Jésus, les Arabes attendaient bien un nouveau prophète. Et, en toute logique, Jésus était et est toujours pour eux, l'avant-dernier des prophètes, celui qui a annoncé qu'il enverrait Mahomet, prophète d'Allah.

Abdallah ne verra pourtant pas son fils prophète. Il meurt quelques semaines avant la naissance de celui-ci. Amina, sa mère, est très pauvre. Elle est contrainte à confier l'enfant – chose très courante dans la tradition bédouine: elle donne son nourrisson à une nourrice qui l'élèvera avec un frère de lait. Pour les Bédouins, être frère de lait est aussi important et confère autant de responsabilités et de devoir de solidarité que d'être frère de sang. Lorsqu'il atteint sa sixième année, Amina vient rechercher son fils pour le ramener à La Mecque. Ils font halte dans une oasis, celle de Yathrib qui deviendra la future Médine, la ville du prophète. Amina n'atteindra jamais La Mecque; elle meurt en route dans cette oasis. À six ans, Mahomet se trouve donc orphelin de père et de mère. Son grand-père, le riche bédouin qui le recueille quelque temps, décède à son tour. Il se retrouve donc complètement seul. Il vit pendant toute son adolescence avec son oncle maternel, conducteur de caravanes qui va lui enseigner l'art d'être caravanier, conducteur des vaisseaux du désert que sont les dromadaires. Cette connaissance du métier de caravanier et du désert constitue le seul atout que Mahomet ait à son avantage, ajouté tout de même au fait d'être très beau, à l'égal de son père d'ailleurs. Abdallah en effet avait la réputation d'être le plus bel homme de La Mecque. Mais finalement, l'histoire le démontre, ces deux frêles atouts lui suffiront comme point de départ pour accomplir son destin.

Lorsqu'elle le rencontre Khadidja voit donc avant tout un homme très beau, très désirable et très jeune. Elle-même est très belle et très riche et deux fois veuve. Elle a besoin, pour son négoce qu'elle mène seule d'une poigne de fer, d'un chamelier expérimenté pour conduire ses caravanes en Syrie. Elle remarque donc le beau jeune homme qu'est Mahomet et l'engage à son service. Il se révèle vite excellent dans la tâche de conducteur de caravanes qui lui est dévolue. Mais rapidement, Khadidja nourrit d'autres espérances à son sujet. Lui n'ose pas comprendre les avances de celle qu'il ne voit que comme sa patronne. Il faut même que Khadidja ait recours à sa servante, Nafissa, pour faire admettre à Mahomet qu'elle le veut absolument pour mari. Il finit par accepter. Elle a 40 ans, lui 25. Le mariage est célébré en 595, dans le désarroi et la désapprobation des familles respectives.

D'un côté, la tribu de Mahomet ne cache pas son mécontentement, parce que c'est une femme âgée, parce qu'elle n'est évidemment plus vierge ce qui, dans leurs traditions, constitue la plus grande offense. À cette époque et en ce temps, les veuves devaient se retirer de la vie sociale dès leur premier veuvage, et non pas rester au premier plan comme l'a fait Khadidja. Ils sont jaloux aussi, parce qu'elle est très riche et que cela lui confère un pouvoir qu'ils redoutent. Du côté de la tribu de Khadidja, l'opposition n'en est pas moins vive, pour des raisons parallèles : Mahomet est pauvre, il est trop jeune et le clan de Khadidja le soupçonne d'opportunisme. De plus, et c'est très important, les hommes de la famille de Khadidja sont pieux et savants, ce qui n'est pas le cas des membres de la tribu de Mahomet qui s'attirent en conséquence leur dédain. Un homme cependant prend Mahomet en affection et joue un rôle déterminant dans l'éveil de sa spiritualité. C'est le neveu de Khadidja, qui a l'âge de Mahomet et qui s'appelle Waraq ibn Nawfal. Waraq est un initié, un hanif qui tend vers le monothéisme, c'est-à-dire vers la religion juive. Mais il est surtout un homme extrêmement érudit, capable de lire la Bible simultanément en arabe et en hébreu. Très vite, une amitié se développe entre les deux jeunes hommes et influence de Waraq sur Mahomet se révèle considérable.

L'entrée de Mahomet dans la tribu de Khadidja signe ainsi l'éveil de l'homme. Il a 25 ans, il est beau, il n'a rien dans la vie. Rentrer dans cette tribu, pour lui, est véritablement une bénédiction, ou la marque certaine d'un destin. En premier lieu parce que l'amour que lui porte sa femme est considérable. Son influence à la fois physique, mais aussi spirituelle, est tout à fait déterminante. Ensuite, évidemment, ce mariage fait de lui un homme riche, respectable et respecté. Un seul malheur obscurcit cependant leur union. Khadidja a vraiment tout fait pour satisfaire son mari qu'elle aime considérablement. Elle a été jusqu'à mettre huit enfants au monde, entre 40 et 50 ans, ce qui véritablement témoigne de sa passion, d'autant qu'elle n'avait pas eu d'enfants de ses précédents mariages. Il ne leur restera que quatre filles. Tous les enfants mâles sont morts ce qui, évidemment, constituent une offense inadmissible au pays des Arabes et des Bédouins, certains ne se gênent pas pour voir là une punition céleste...

Cette épreuve leur apporte l'occasion de démontrer la profondeur de leur amour et l'originalité de leurs personnalités. De l'avis de tous, Mahomet, âgé de 35 ans, aurait dû répudier sa femme qui a 50 ans, ne pouvait plus espérer lui donner de descendance mâle. Au lieu de cela, Khadidja et lui adoptent deux garçons, dont un esclave que Mahomet affranchit pour l'occasion. Par la suite, leur fille Fatima deviendra la femme du quatrième imam musulman et exercera elle-même cette fonction. Quel pied de nez à la tradition, quel beau geste à garder en mémoire... en souhaitant que dans les écoles musulmanes on raconte l'histoire du prophète telle qu'elle le fut vraiment...

La vie intérieure de Mahomet s'est intensifiée au contact de Waraq mais aussi et surtout au contact de Khadidja. Il est devenu un homme respectable, à la tête d'un important commerce caravanier, mais il s'est surtout assagi, instruit et approfondi. Dans l'homme mûr qu'il est devenu en quinze ans, nulle trace ne subsiste des inquiétudes fébriles de l'orphelin de jadis. Devenu très pieux, il a pris l'habitude d'aller méditer et dormir dans une grotte, la grotte de la colline de Hirâ, qu'on appellera bientôt le mont de la Lumière, sur la route de La Mecque. Il y connaît la Révélation. On est en 611. Mahomet a 40 ans. Une nuit, il voit apparaître une lumière qui se révèle à lui en ces mots: «Tu es l'envoyé de Dieu, le Prophète d'Allah, le Dieu unique.» C'est Djîbrîl, notre archange Gabriel, qui se révèle à nouveau à lui...

Mahomet est complètement terrorisé. Il descend de la montagne, tremblant, sûr d'avoir été victime d'une hallucination... Décidément, on en connaît un autre qui est allé sur la montagne et qui en est descendu en sueur... Moïse... Qui, dans cet état d'égarement croira Mahomet et le soutiendra? Qui l'aidera à accomplir son destin? Khadidja. Elle restera très longtemps son seul et unique soutien, parce qu'elle croit qu'il est le Prophète et l'aide à aller vers son accomplissement et à oser mettre en place la nouvelle religion: l'islam.

Mahomet retourne vers le mont de la Lumière où il passe de plus en plus de temps. Un jour, Djîbrîl lui apparaît de nouveau et lui dit «qu'il devra désormais réciter aux hommes ce que lui dicte le Ciel». Ce sera le Coran. Pour la première fois Dieu parle par l'intermédiaire de Djîbrîl en arabe, en faisant du même coup une langue sacrée, celle du futur Coran. Le mot *islam* signifie soumission à la volonté de Dieu. Le participe actif de ce verbe, *muslim*, désigne celui qui se soumet à la volonté de Dieu, d'où est dérivé le mot musulman. Le musulman est donc le soumis à la volonté de Dieu, qui selon la religion musulmane est Un, unique, absolu, ni engendré ni engendreur. Et bien sûr suivant la manière dont les hommes sont capables de l'interpréter, ce sens peut revêtir des formes d'application terribles.

Dès 613, deux ans après la Révélation de la montagne, Mahomet subit effectivement des oppositions. D'abord, de la part de son clan familial. Khadidja l'encourage toujours à poursuivre son prêche pour répandre la nouvelle religion. Pour vivre librement ils se voient contraints de s'exiler en Éthiopie avec les premiers adeptes mais, en 619, Khadidja meurt. Elle a 63 ans et lui, 48 ans. Mahomet en est profondément choqué, désorienté et se sent abandonné. Elle lui apparaîtra régulièrement en rêve pour lui insuffler la force de continuer et de croire en sa mission. Quelques années après sa mort, il aura néanmoins un harem, et d'autres enfants.

À ce moment-là, Mahomet décide de mener le *djihad*, la guerre sainte qui est aujourd'hui tellement détournée de son sens. Par guerre sainte, Mahomet n'entend pas forcément prendre l'épée bien qu'il se dit lui-même chef de l'armée religieuse. Il mène surtout un combat pour faire connaître sa foi nouvelle. En 622, c'est l'exil, l'*hijra*, l'Hégire avec lequel commence le calendrier musulman. En fait, le *djihad* ne va pas sans l'*hijra*, c'est-à-dire que le fait de combattre pour une nouvelle foi, pour la faire connaître et pour faire de nouveaux adeptes, ne va pas sans exil et sans constantes pérégrinations. En 623, exilé à Médine, Mahomet va enfin pouvoir constituer la première communauté des *muslim*, «soumis à Allah».

Le *djihad* se révèle efficace. En 630, Mahomet revient en triomphateur à La Mecque et convertit la ville à l'Islam qui est par ailleurs la religion qui se sera le plus rapidement développée autour du pourtour méditerranéen puis par-delà. Quelques mois avant de mourir, Mahomet inaugure le premier pèlerinage à La Mecque, à l'ancien sanctuaire païen de la Kaâba. Il proclame ce pèlerinage au rang d'un des cinq piliers de l'Islam et l'effectuant au mois de mars, il en fonde ainsi la date traditionnelle. Les femmes comme les hommes doivent s'y rendre vêtues d'un simple linceul blanc non cousu, et sans voile. Mahomet meurt à La Mecque en 632, à l'âge de 61 ans. L'un de ses beaux-pères, Abu-Bakr, deviendra le premier calife musulman. Mahomet est enterré aux côtés de Khadidja.

Je ne suis pas musulmane mais bien sûr le sort des femmes musulmanes me préoccupe. Tous les ans, au moment du Ramadan, autre pilier de l'Islam, moment de jeûne et de purification, les exactions, les viols et les tueries se multiplient paradoxalement pendant ce temps de paix profonde. Et j'aime, dans ces moments-là, me souvenir que cette religion est née de l'amour et dans l'amour, et beaucoup grâce, et par une femme, Khadidja...

Bien sûr, il s'en trouve toujours pour me rappeler qu'avant l'arrivée de Mahomet, on enterrait les petites filles vivantes parmi les Bédouins d'Arabie, et que l'Islam aura au moins changé cela. Certes, du temps de Mahomet les femmes avaient un statut autrement plus important et étaient même imams. Comme d'ailleurs, aux cours des premiers siècles chrétiens, les femmes étaient prêcheuses, prêtresses et baptisaient. Marie-Madeleine la première, elle que l'on a tellement confondue avec la prostituée qui a oint les pieds de Jésus de parfum... Et pourtant Marie-Madeleine fut bien la seule à ne jamais désavouer Jésus et celle qu'il a choisie pour lui apparaître en premier, et en faire la messagère de la bonne nouvelle...

Mais c'est une autre histoire...

THÉRÈSE DE LISIEUX

1873-1897

*T*hérèse de Lisieux aimait Dieu et l'humanité le lui rend bien...

En 1997, on soulignait le centenaire de sa mort et à cette occasion de nombreux ouvrages sont venus s'ajouter à la liste déjà longue de ses biographies. Mais c'était surtout l'occasion de redécouvrir ses écrits, et de la redécouvrir comme auteure couronnée par l'Académie française.

Si la main de la petite Thérèse – l'autre la grande étant Thérèse d'Avila – n'avait été tenue par Dieu, eut-elle écrit? Absurde question... Thérèse a écrit sa vie à la demande de la Mère supérieure de son couvent, mais elle n'écrivit jamais que ce qui lui vint directement de l'amour que lui inspira la Foi. La vraie grande foi qui fit d'elle la mystique, l'inspirée, la formidable inspiratrice de tant de millions de fidèles et de pèlerins. Mais elle fut aussi en proie au doute et à la tourmente. Et cela aussi, peut-être, fit-il d'elle une créatrice...

Elle naît le 2 janvier 1873. Cela paraît presque étonnant et pourtant oui, elle est bien née et a vécu sur la terre, même si, dès l'origine, son histoire semble marquée par la désincarnation, ou du moins par une difficulté d'incarnation.

Ses parents, lorsqu'ils se rencontrent, sont déjà un peu âgés, du moins pour les normes de l'époque. Sa mère, Zélie Guérin, a 28 ans et son père, Louis Martin, proche de la quarantaine. Chacun de leur côté, avant de se rencontrer, ils avaient voulu entrer dans les ordres. Ils nourrissaient donc tous deux une vocation religieuse mais tous les deux ont été refusés... Le père, parce qu'il ne parlait pas le latin, et la mère, parce qu'on la jugeait trop vieille. Ils se sont rapprochés par leur mutuelle frustration de la vie monacale. En se mariant, ils décident d'ailleurs de vivre en frère et sœur. Ils le feront pendant un certain temps jusqu'à l'intervention de... leur confesseur commun, qui les incitent à consommer leur mariage et remplir ainsi leurs vœux maritaux. Grâce à ce confident avisé, ils se décident à s'incarner et donc à reproduire. De leur mariage tardif et tardivement consommé, naîtront néanmoins neuf enfants... neuf en onze ans, dont seules les filles, cinq, survivront. La famille est extrêmement religieuse. Les journées ne commencent ni se terminent sans prières et homélies. Et jusqu'au vocabulaire quotidien, absolument stupéfiant tel qu'il est rapporté dans l'autobiographie même de Thérèse, la moindre phrase en est émaillée des noms de Marie, Jésus et Dieu... Thérèse elle-même écrit que sa mère notamment «avait une manière très spéciale de tourner ses phrases»...

Elle écrit par ailleurs qu'elle a eu trois périodes dans sa vie: de zéro à quatre ans; de quatre à douze, et de douze à vingt-quatre ans, ne sachant pas évidemment qu'elle mourrait à cet âge. Suivons donc ces trois périodes.

Jusqu'à quatre ans, Thérèse Martin est une petite fille enjouée, extrêmement intelligente, qui parle et réfléchit extrêmement tôt et se révèle déjà inspirée. Cette inspiration va se développer avec le temps. Sa mère meurt lorsqu'elle a quatre ans. Thérèse n'est pas triste ou du moins n'a-t-elle pas de mots suffisants pour le dire. Elle ne dit rien. Elle ne prononce plus un mot. Elle se dit parfois contente parce que sa mère a rejoint le bon Dieu. Néanmoins, elle devient une petite fille hypersensible et facilement malade. À partir de ce moment, la maladie physique accompagne toute son existence et marque profondément sa courte vie terrestre. À cinq ans, un an après la mort de sa mère, elle assiste à la messe pascale et pendant la celle-ci, elle connaît sa première véritable inspiration: elle voit, elle sent la Passion du Christ. Elle ne fait pas que la comprendre ou l'interpréter. Elle la sent et la voit véritablement. Voyant cette Passion du Christ, elle a la prémonition de la mort de son père, qui surviendra presque en même temps qu'elle, mais qu'à cinq ans, en cette messe pascale, elle a déjà vu mourir. Et la manière dont elle décrit les choses ne peut permettre de douter qu'il y eut véritablement à cet instant une communion mystique, qui marquera Thérèse de son plus jeune âge et pour le restant de sa vie.

Entre 4 et 12 ans, elle vit la période la plus difficile de sa vie luttant contre des hallucinations, des fièvres, des poussées de boutons, qui sont autant de manifestations d'un profond mal-être. Je la ressens pour ma part aux prises avec une tension vers le haut, avec une envie de s'échapper hors de son corps et hors de la vie, avec toujours en arrière-plan cette difficulté à s'inscrire sur la terre. À la mort de sa mère, elle choisit l'une de ses sœurs, Pauline, pour image maternelle puisque il y a effectivement de grandes différences d'âges entre les sœurs. À sa suite, elle veut entrer au Carmel.

Dès l'âge de sept ans, elle exprime le désir de s'y cloîtrer. Bien sûr, elle est trop jeune et Monseigneur l'évêque de Bayeux ne l'y autorise pas. S'y résout-elle? Non. Tout au contraire, elle décide tout simplement d'aller voir le pape pour obtenir une dérogation. À l'époque, le pape c'est Léon XIII. À l'âge de 15 ans, Thérèse se prépare toute une pérégrination à travers l'Italie pour se rendre chez le pape, avec son père et sa sœur Pauline. Ils voyagent pendant six mois à travers l'Italie, jusqu'à Rome. Thérèse Martin a écrit une supplique et la présente à Léon XIII. Son obstination se révèle payante puisque le 28 décembre 1887, une réponse favorable de Monseigneur Hugonin autorise l'admission de Thérèse, et le 9 avril 1888 – elle a 16 ans –, elle entre au Carmel de Lisieux. Dès 1889, elle fait sa profession de foi et prend le voile. Sa sœur Pauline, celle qu'elle avait choisie pour mère terrestre, devient pour sa part, en février 1893, mère Agnès de Jésus.

Cette époque constitue un tournant essentiel dans son existence: à partir de l'inspiration que lui insuffle sa sœur biologique et spirituelle, Thérèse Martin se révèle, dès 1893, une grande créatrice, une véritable artiste. Elle commence par écrire des pièces de théâtre. Elle écrit deux pièces sur la vie de sainte Jeanne d'Arc, qu'elle interprète elle-même au Carmel. Elle écrit aussi des poèmes mystiques, d'une traite, comme sous le coup d'une pure inspiration. Elle peint également: dans l'oratoire du Carmel de Lisieux, elle «voit» une fresque qui n'existe pas véritablement sur le mur. Elle décide aussitôt de la peindre, se révélant à nouveau inspirée et douée de création. Ces trois premières années au Carmel, entre 16 ans et 18 ans, sont vraiment un bouillonnement artistique.

À 18 ans, en 1894, sachant Thérèse fameuse et talentueuse écrivaine, sa sœur Pauline, donc mère Agnès de Jésus, lui demande, lui ordonne même, d'écrire ses mémoires. Trois manuscrits paraîtront (les manuscrits A, B et C), durant les deux dernières années de sa vie. Dans ses manuscrits, elle raconte sa vie, révélant ainsi l'extraordinaire mystique qu'elle est.

La tuberculose pendant ces années la ronge peu à peu. Tout porte à croire qu'elle va bientôt mourir. Cette triste réalité a sans doute convaincu sa sœur de la nécessité de pousser Thérèse à achever le récit de sa vie. Le manuscrit complet, que Thérèse achève peu avant de rendre l'âme, s'appelle justement *Histoire d'une âme* – elle parle bien d'elle-même comme d'une âme... Il regroupe les trois manuscrits A, B, et C qui respectivement relatent les trois périodes de sa vie telles qu'évoquées plus haut. Le dernier manuscrit est remis le 8 juillet 1897, deux mois avant sa mort. Thérèse y dit combien, au seuil de la mort, dans une atroce souffrance physique, elle a lutté contre le doute, la révolte voire contre un sentiment de confusion divine. Elle y évoque clairement sa lutte quotidienne contre l'envie de se suicider pour échapper aux atroces souffrances physiques.

Thérèse de Lisieux meurt le 30 septembre 1897, à sept heures vingt du matin, réconciliée avec Dieu. «Mon Dieu! Je vous aime!» murmure-t-elle en expirant, libérée enfin de ce corps qui dès le départ lui cause plus de désagréments que de bonheur.

Néanmoins, à sa mort, elle laisse des lettres, des poèmes, des pièces de théâtre. Son autobiographie paraît un an après sa mort, en 1898. C'est là que commence, si j'ose dire, la vraie vie de celle qui deviendra sainte Thérèse de Lisieux.

La publication de ses écrits, surtout de son autobiographie, révèle une véritable mystique. C'est pourquoi *Histoire d'une âme* est-il véritablement le signe d'une vie éternelle. À la publication de ces mémoires, des dizaines, puis des centaines de pèlerins commencent à affluer à Lisieux pour se rendre sur sa tombe. Au Carmel, tous sont extrêmement étonnés. D'autre part, des lettres affluent. Des centaines, puis des milliers de lettres venues du monde entier si bien que le Carmel de Lisieux se trouve un jour dans l'obligation d'annoncer officiellement avoir reçu 9 741 lettres au sujet de Thérèse et de ses mémoires. Le pape lui-même est obligé de s'interroger. Le Saint-Père lit l'*Histoire d'une âme* et se rend compte qu'il a véritablement affaire à une âme exceptionnelle, à une mystique, à une grande créatrice. Thérèse Martin, devenue sœur Thérèse de Lisieux apparaît aux yeux de tous comme une sainte.

En 1923, le 29 avril, la béatification de sœur Thérèse de Lisieux est prononcée, sous le nom de sœur Thérèse de l'Enfant-Jésus et de la Sainte-Face, par le pape Pie XI. Il fait d'elle l'étoile de son pontificat et en 1925, le 17 mai, la canonisation solennelle est prononcée à Rome, devant 60 000 pèlerins présents. Dans l'année qui suit cette canonisation, 500 000 pèlerins affluent à Lisieux. En 1927, à la suite de ces incessants pèlerinages, sainte Thérèse de Lisieux est proclamée patronne des missionnaires. On construit la majestueuse basilique de Lisieux pour recevoir ces marées humaines unies dans la dévotion de la «petite Thérèse». Elle devient l'inspiratrice de mère Teresa, qui lui doit même le choix de son nom monacal, mais aussi celle de Jean-Paul II qui lui consacrera son premier pèlerinage. En 1944, enfin, le pape Pie XII annonce officiellement que les deux saintes patronnes de France seront désormais sainte Jeanne d'Arc et sainte Thérèse de l'Enfant-Jésus.

Ses écrits connaissent également une reconnaissance posthume. L'Édition du centenaire des écrits de sainte Thérèse de Lisieux – parue 100 ans après sa naissance, en 1973 – d'*Histoire d'une âme* ainsi que de la totalité de ses pièces, lettres et poèmes, est couronnée en 1989 par le Grand prix Cardinal de l'Académie française.

Dernière petite ironie posthume du sort: ses parents, à qui l'on avait refusé la vie monacale, sont nommés vénérables en 1994 par Jean-Paul II.

L'histoire de la pure âme que fut sans doute Thérèse de Lisieux me met mal à l'aise... Je l'avoue, sachant que ce trouble n'a sans doute rien à voir avec la sainteté et la grandeur indéniable du personnage. Un aspect néanmoins me frappe plus particulièrement: si l'écriture témoigne d'une tension vers l'immortalité, d'une inscription dans l'éternel – et dans la plupart des cas, sans doute d'une difficulté à jouir de la seule dimension terrestre et charnelle – l'histoire de Thérèse Martin, sainte Thérèse de Lisieux, en apporte un merveilleux et terrible témoignage...

LOUISE MICHEL

1830-1905

*L*ouise Michel fut surnommée «La vierge rouge». Figure incontournable de l'édification de la République française, moins connue au Québec, elle fut l'un des personnages majeurs de la Commune de Paris, en 1870.

Louise Michel a incarné les valeurs humanitaires, et en même temps laïques, du socialisme de la fin du XIXe siècle. C'est une protestataire toujours en première ligne des combats d'avant-garde pour faire évoluer la société, et surtout pour lutter contre les différentes formes d'injustices et d'inégalités qui caractérisent encore la France de cette époque, un siècle après l'arrivée de la bourgeoisie au pouvoir, après la Révolution de 1789. Mais c'est aussi un personnage multiple qu'il est intéressant à regarder en détail.

Louise Michel naît en 1830. Elle est la fille adultérine de la servante d'un château de nobles. Sa mère, Marie-Anne Michel, est servante au château des nobles Demahis, et son père, Étienne-Charles Demahis, est avocat au Parlement. Louise est donc une enfant illégitime, mais elle bénéficie néanmoins du couple à trois que forment sa mère, son père et l'épouse légitime de celui-ci. La cohabitation se révèle conviviale puisque le père n'est pas rejeté par sa femme,

Mme Demahis, qui ne pouvant lui donner d'enfants, a accepté la naissance de la petite Louise qu'elle prend même en affection. Pour sa part, Louise appelle respectivement son père et sa femme, «grand-père et grand-mère».

Étienne-Charles Demahis adore sa fille unique. Mme Demahis a l'intelligence de comprendre que rejeter l'enfant l'aurait conduite à perdre son mari. L'enfance de Louise, dans ce grand château froid, se passe quand même dans une extrême solitude, parce qu'elle y est la seule enfant. Portée vers la musique, le mysticisme, la nature, cette solitude accentue son goût pour la méditation et la rêverie. Sa biographe, Édith Cresson, raconte qu'elle a fabriqué un luth et plusieurs autres instruments de musique dont elle aime à jouer seule. Louise Michel le raconte également dans ses livres, puisqu'elle en écrit trois. Son côté songeur, poétique, rêveur, trouve toute la place pour se développer durant cette enfance solitaire. Cela la rapproche par la suite de Victor Hugo, comme elle mystique et rêveur, et autant qu'elle révolutionnaire et profondément engagé.

Mais ce n'est pas le seul aspect frappant de son enfance. Malgré ce que ses origines nobles peuvent laisser penser, c'est son père qui la sensibilise aux idées républicaines. Étienne-Charles Demahis a épousé les idées de la Révolution. C'est un humaniste, pétri de Voltaire et de Rousseau, qui donne à sa fille aimée une éducation sociale, littéraire et humaniste hors du commun. Cela est très original, car les femmes et les filles de cette époque, et surtout de sa condition – ou de ce qu'aurait dû être sa condition d'«enfant illégitime de la bonne», ne recevaient évidemment pas une éducation aussi poussée que la sienne. Elle vit donc dans les livres, dans la littérature, dans la musique. Son père, qu'elle adore, qu'elle adule, et qui sera à jamais le seul homme de sa vie, est son ami, son professeur, son confident, son compagnon d'âme. Il restera à jamais à la source de la vision du monde pour laquelle elle se battra toute sa vie.

Ce père adoré meurt en 1845, alors que Louise n'a que 15 ans. Édith Cresson la décrit dévorée de chagrin et de plus, complètement livrée à elle-même à la mort de la femme légitime de son père, Mme Demahis, qui meurt peu de temps après. C'est alors que se révèle brutalement pour elle sa condition de bâtarde. Louise a hérité de 10 000 francs en terre mais la sœur de son père la chasse néanmoins du château de Vroncourt où elle a vécu depuis sa naissance dans une bienheureuse harmonie. D'autre part, il lui est interdit de porter le nom de son père, Demahis. Du jour au lendemain, Louise redevient l'enfant de la bonne, pauvre, illégitime, et sans domicile. Elle devient Louise Michel et n'oubliera jamais l'injustice sociale qui a prévalu à ses changements. Elle décide de se consacrer à l'éducation des générations futures, et au changement de la société.

En 1853, à 23 ans, elle s'installe en Haute-Marne, dans le village d'Audeloncourt où, après de brillantes études, elle prend un poste d'institutrice. La révolutionnaire rouge se révèle déjà. Elle est payée un franc par jour, ce qui est beaucoup pour l'époque, mais qu'elle conteste néanmoins. Dans ses classes, à la place de la messe matinale, elle fait chanter *La Marseillaise* suggérant à ses élèves de ne pas suivre les offices! Évidemment, elle se trouve rapidement aux prises avec les critiques et même avec les menaces du préfet de Haute-Marne qui, régulièrement, la menace de l'envoyer à Cayenne. Elle lui répond avec impertinence, par des phrases acerbes et en même temps si pleines d'humour, qui feront sa réputation: elle répond que tant qu'à l'envoyer à Cayenne, justement, elle aimerait y établir une maison d'éducation, mais «ne pouvant faire les frais du voyage, il lui serait fort agréable qu'on l'y envoie»! C'est tout un tempérament, quand même, Louise Michel! Elle avoue du même coup qu'elle «en a après

Napoléon III» et que, d'ailleurs, elle ne songe qu'à «le faire tuer», ce qu'elle prouvera par la suite. Elle s'affiche choquante et violente. Elle le restera.

Elle ne part pas pour Cayenne, mais pour Paris, en 1856, à 26 ans. Elle décide de réaliser son rêve. Elle part avec sa meilleure amie, Julie, ce qui là aussi, n'est pas tout à fait courant parmi les jeunes filles de cette époque. À Paris, elle propose des articles historiques, parce que c'est une historienne, mais aussi de la poésie et des critiques musicales. Elle reste toujours attachée à ce côté artiste qui existe chez elle. Néanmoins, à Paris, et c'est surtout cela qui reste important pour la suite, elle raffermit son analyse révolutionnaire et son engagement social. Elle s'engage aussi dans le combat féministe. Parmi ses phrases célèbres, il y en a une, croustillante, qui résume toute sa pensée. Elle dit: «Le prolétaire et la femme ont en commun d'être des esclaves. Cependant, si le prolétaire est esclave, esclave entre tous est la femme du prolétaire.» En une phrase elle fait le portrait robot de la société française du XIXe siècle.

Sa vision des hommes s'illustre aussi d'une autre manière. Sans doute parce qu'elle est bâtarde et qu'elle a subi les avatars de la société patriarcale, elle est farouchement déterminée à ne pas céder à ce qu'elle appelle le «Provisoire masculin», et à ne pas être, toujours selon ses mots, une «soupe à homme». Un épisode illustre cette détermination. Au seul et unique prétendant qu'elle ait eu dans sa vie, elle lance un défi. Elle lui dit rien de moins que ceci: «Si tu tues Napoléon III, oui, je céderai à tes avances!» Évidemment, le jeune homme part pour ne plus jamais revenir... Louise Michel reste vierge toute sa vie, de là son surnom, son étendart, de vierge rouge, vierge et révolutionnaire communiste. Il faut dire que le hasard l'a fait naître tout près du village de naissance d'une autre vierge célèbre: Jeanne d'Arc.

Les droits sociaux, les droits des femmes, les droits à l'éducation... Ce sont les fondements de sa lutte. Elle prend vite parti aux côtés de Jean Jaurès pour devenir, selon Édith Cresson et d'autres biographes, une passionaria de la République et du socialisme. L'une des figures de proue de la Commune de Paris.

La Commune de 1870 reste une référence majeure de l'histoire de la République. Et, au sein de la Commune, une semaine déterminante que l'on a d'ailleurs nommée «La semaine sanglante». C'est la semaine du 22 au 28 mai 1871. Louise Michel s'y illustre par son ardeur et son combat armé. De nombreuses caricatures la représentent, vêtue de son éternelle robe noire d'institutrice, fusil au poing. On la nomme même «La vierge rouge à la robe noire». Bien sûr, avec tant d'autres, elle est arrêtée. Elle comparait en cour se trouve exilée, pour de bon cette fois, à l'autre bout du plus lointain des territoires français: la Nouvelle-Calédonie, où elle reste entre 1873 et 1880. La Commune néanmoins, qui s'est étendue de Paris à l'ensemble des grandes villes du nord de la France, précipite la chute de Napoléon III et restaure la République.

Que fait-elle en Nouvelle-Calédonie? Elle ouvre une école! Une école non seulement pour les enfants des exilés mais aussi pour les enfants calédoniens et la population canaque toute entière, qu'elle incite déjà à se soulever contre les colonisateurs français.

Une loi d'amnistie est votée par le Parlement de la IIIe République, en 1880. Louise Michel est libérée et pour revenir, elle passe par Londres. À Londres, elle est véritablement accueillie en vedette. Elle y vit d'ailleurs cinq ans, entre 1890 et 1895. Puis elle rentre en France, où l'attend un considérable travail au sein de la nouvelle République. Mais la restauration de la République ne lui suffit pas. Elle voit toujours plus loin, et mieux, pour les classes défavorisées, pour l'éducation et les femmes.

Louise Michel reste une militante libertaire jusqu'au bout, c'est-à-dire jusqu'à 75 ans. Selon les mots d'Édith Cresson, «elle s'est sublimée dans l'exaltation politique». Je voudrais résumer les luttes dans lesquelles elle s'est inscrite corps et âme.

Sa lutte en fut une pour l'idéal révolutionnaire et l'école publique libre. Institutrice, elle a beaucoup fait pour voir enfin voter la Loi sur l'école publique obligatoire de Jules Ferry en 1899, à Paris.

Le 1er mai 1890, Louise Michel transforme la grève des tisseurs de Vienne, près de Lyon, en émeute, et c'est comme ça qu'elle va rendre cette date célèbre, celle des droits des travailleurs. Et bien sûr, elle est dreyfusarde, soutenant Dreyfus dès 1902, au cours de cette grande affaire antisémite qui fracture la France de l'époque. Elle est aussi membre fondateur de l'Internationale antimilitariste. Puis, bien que cela reste assez secret, parce que c'est un domaine secret : il existe une loge maçonnique féminine du nom de Louise Michel, ce qui laisserait supposer qu'elle fut proche des francs-maçons ou franc-maçon elle-même.

Elle meurt à 75 ans, le 10 janvier 1905 ayant donc vu débuter ce siècle. Jusqu'au bout, elle a beaucoup écrit, a donné des conférences, éveillé les consciences et voyagé, inlassablement. Elle se rend à Amsterdam et même à Alger en 1904, quelques mois avant sa mort.

Vers la fin de ses jours, Louise Michel donne à Paris une conférence intitulée *Aux portes de la mort*. Au cours de cette longue oraison, elle prononce cette phrase qui sonne comme un résumé de sa vie, et qui dans sa bouche, fut l'énoncé de son espoir pour le XXe siècle:

«Peut-être l'humanité qui s'élève et qui sera le XXe siècle comprendra-t-elle des choses que nous ignorons, nous, primates de l'idée. L'humanité de demain, élevée avec des mappemondes, des télescopes, des microscopes, pour remplacer les croix, chez qui le mysticisme endormeur aura évolué en amour de l'inconnu, des arts, des découvertes, fera la légende de demain.»

Ce rêve de début de siècle qui fut celui de Louise Michel, est-il aujourd'hui complètement désuet?

MARIE MORIN

1649-1730

L e premier écrivain québécois fut une écrivaine...

Arrivée au Québec en 1998, je pensais que tout le monde savait cela et que le nom de Marie Morin serait immédiatement familier aux auditeurs de Radio-Canada, ou simplement à mes interlocuteurs. Eh bien pas du tout! ou du moins si peu... Et pourtant, si Marie Rollet-Hébert fut bien la «mère» de la Nouvelle-France, Marie Morin fut la première religieuse née en Nouvelle-France, l'une des fondatrices des Hospitalières de Ville-Marie, et par la suite la première historienne québécoise. Tout cela me paraissait suffisant pour lui donner sa juste place parmi les grandes aventurières.

Marie Morin naît en 1649, en pleine vague de colonisation francophone. Marie et Louis Rollet-Hébert, les premiers colons arrivèrent vers 1617, mais il fallut attendre 1632 pour voir s'intensifier l'installation française. La famille paternelle de Marie Morin arrive à cette époque. Ils viennent de la Brie, une région agricole du centre-ouest de la France, connue pour son fromage et ses chevaux de labour. Ses ancêtres maternels viennent également de cette région. Ils s'installent vers 1640 à Québec et la mère de Marie Morin est la première petite fille à naître au Québec, et devient également la première sage-femme québécoise. Une véritable famille de pionniers en somme... La famille de Marie Morin comporte 12 enfants; c'est une famille très religieuse, très catholique, comme c'est le cas à l'époque...

La vocation religieuse de l'enfant se déclare d'ailleurs très tôt. Elle entre en communauté religieuse à 13 ans mais même avant cela, à 7 ans déjà, elle qui a été élevée dans la religion, la discipline, le goût du travail, déclare un idéal de service et de labeur. Dès sa prime enfance, elle veut comme elle dit «porter secours aux pauvres» au plus grand étonnement de ses proches. Aussi catholique que soit la Nouvelle-France de l'époque, il est quand même rare qu'une petite fille choisisse si tôt une vocation monacale. Il faut dire que chez les Morin, c'est comme une spécialité puisque son frère, Germain Morin, sera le premier prêtre québécois. Un pionnier lui aussi!

Marie, dans sa lignée de pionniers, sera la première moniale à quitter Québec, à 13 ans, pour rejoindre à Montréal la congrégation des Filles de Saint-Joseph de Ville-Marie, créée trois ans plus tôt, par Jérôme de la Dauversière, grand seigneur de la cour de Louis XIV. Jérôme de la Dauversière a créé la congrégation des Filles de Saint-Joseph en France, à La Rochelle. Parties de La Rochelle en 1659, les Filles de Saint-Joseph débarquent à Québec, pour finalement s'installer à Montréal. Là aussi il s'agit d'une première, car les communautés religieuses sont toutes concentrées à Québec et Montréal, fondée en 1642, n'en compte encore aucune. Si, par exemple, Marie de l'Incarnation et les Ursulines de Québec servent de modèle à Marie Morin, dans sa volonté de servir, elle opte tout de même, et dès le départ, pour la voie la plus difficile. Elle écrira plus tard que c'est justement cette difficulté, le fait qu'à Montréal il n'y ait rien et que tout soit à construire, qui a décidé de son choix. Marie Morin n'est pas qu'une pionnière de circonstance. Elle l'est par choix, par volonté de dépassement.

Sur les traces de sa mère en quelque sorte, elle devient sœur hospitalière. Le prêtre de Québec qui reçoit ses vœux est tellement stupéfait de sa détermination et de la pureté de sa vocation, qu'il la laisse directement rejoindre en août 1662, l'ordre créé par Jérôme de la Dauversière. Elle a donc 13 ans. Séparée de sa famille, elle vit à Montréal dans la discipline et le dur labeur que représente la fondation d'une communauté et d'un hôpital à partir de rien. Dès l'année suivante, en 1663, elle connaît une terrible épreuve pour elle-même et pour la ville: le grand tremblement de terre de Montréal.

Comme elle l'écrit par la suite, Dieu choisit de la mettre immédiatement à l'épreuve, alors qu'elle entame son noviciat. Et quelle épreuve, effectivement, que ce terrible tremblement de terre du 5 février 1663 – en plein hiver québécois!... Ce n'est rien de moins qu'un cataclysme, une apocalypse dont elle fait des descriptions terrifiantes. À l'aube du 5 février, Montréal est dévastée, déchirée et à moitié engloutie par une série de secousses d'une force infernale. La bourgade, construite seulement quelques années plus tôt, n'est plus qu'un vaste terrain de ruines et de mort.

Plus de la moitié de la population périt. La congrégation de Ville-Marie perd la moitié de ses moniales. Marie Morin, miraculeusement, survit. On imagine l'ampleur du travail qui l'attend, elle et la poignée de survivantes, en plein hiver, en pleine neige. Elles n'ont quasiment rien pour se nourrir. Marie Morin écrit que pendant toute cette année-là, les Hospitalières se nourrissent uniquement de pain, de lait et de prunes rouges. Elles doivent tout à la fois déblayer, reconstruire, soigner, protéger, trouver à manger. À partir du dénuement, du rien total, il leur faudra édifier Ville-Marie, dont nous sommes aujourd'hui tellement fiers et qui dans l'histoire

du Québec reste un important repère. À cette œuvre édifica-
trice, Marie Morin consacre son énergie, sa vie tout entière.
De cette épreuve elle sort confortée dans sa foi et dans sa décision à servir et à soigner. Donc, à 15 ans, alors que la situation s'améliore peu à peu, elle prononce ses vœux définitifs.
Elle restera effectivement à Ville-Marie toute sa vie, de 13 à
81 ans.

La première partie de sa vie est consacrée à l'édification
de Ville-Marie, à l'administration de soins, à l'aide sociale, à
l'éducation et aussi, beaucoup à la mission. Elle devient missionnaire et passe une grande partie de sa vie en mission à
Ville-Marie, mais aussi dans le reste du Québec où elle
prêche surtout auprès des tribus autochtones, donc dans la
droite lignée du catholicisme de l'époque... Marie Morin a
joui d'une éducation extrêmement poussée; très jeune, elle a
appris à lire et à écrire et son caractère, très tôt affirmé, se
révèle vite celui d'une femme exceptionnelle. Jusqu'à 46 ans,
elle consacre donc sa vie à toutes ces activités et lorsqu'elle
décide enfin de mettre un terme à son action missionnaire,
elle est nommée Mère supérieure des Hospitalières de Ville-
Marie.

À partir de 46 ans, Marie Morin entre dans la deuxième
partie de sa vie et de son édification, en s'attelant à une
grande œuvre d'historienne. En 1695, elle décide d'écrire le
tout premier texte historique québécois, aujourd'hui conservé aux annales de l'Hôtel-Dieu de Montréal. Elle met
deux ans à achever ce manuscrit de 317 pages intitulé *Histoire
simple et véritable de l'établissement des Religieuses Hospitalières de
Saint-Joseph en l'île de Montréal, dite à présent Ville-Marie en
Canada, de l'année 1697*.

Elle y relate principalement l'histoire religieuse, l'histoire des Filles de Saint-Joseph depuis leur départ de La
Rochelle en 1659 à leur arrivée à Québec puis surtout, toutes

les étapes de la fondation de Ville-Marie. Mais raconter la fondation de Ville-Marie, c'est évidemment raconter la fondation de Montréal et par-delà même, toute l'histoire de la naissance de la Nouvelle-France. C'est évidemment raconter l'implantation de la religion catholique en Nouvelle-France, mais à travers elle le quotidien et les mœurs du nouveau pays. Marie Morin fait ainsi œuvre majeure, œuvre historique et littéraire. Elle écrit le premier texte fondateur du Québec. Ce manuscrit arrive jusque chez Louis XIV, qui le reçoit avec grand panache et non moins grande fierté, parce qu'il constitue pour lui, qui ne s'est jamais déplacé dans sa nouvelle et lointaine colonie, la découverte d'une vie qu'il a initiée, et que son père Louis XIII avait projetée avant lui.

À la suite de ce premier texte majeur, Marie Morin écrit l'histoire du fondateur de Ville-Marie, Jérôme de la Dauversière, mais aussi l'histoire de Jeanne Mance, de Maisonneuve, ainsi que celle des institutions religieuses et pédagogiques de son époque. Elle a ainsi donné une mémoire à Nouvelle-France. Sans elle, pour ses contemporains comme pour nous aujourd'hui, il ne resterait rien de cette époque-là.

C'est une source inestimable. C'est effectivement notre fondation. Une nation n'existe pas tant qu'elle n'a pas d'histoire et tant qu'elle n'a pas d'histoire écrite. En ce sens, effectivement, être Québécois, c'est forcément se référer à ces textes de fondation, d'autant plus que Marie Morin tient en parallèle un journal et une abondante correspondance. Tous ses textes constituent le terreau historique du Canada français. Marie Morin écrit ainsi jusqu'à la fin de sa vie. Après 67 ans et huit mois passés à l'Hôtel-Dieu de Ville-Marie, elle meurt dans cette ville le 8 avril 1730, à 81 ans.

Alors demeure la vraie question: Pourquoi a-t-il fallu tant d'années pour reconnaître Marie Morin comme ce premier historien de l'histoire du Canada français, pour considérer son œuvre comme l'œuvre fondatrice de l'identité québécoise originelle?

Effectivement, il faut attendre 1951 pour que l'Université du Québec à Montréal nomme officiellement, *postmortem*, Marie Morin première historienne du Canada. Et sans doute, depuis, l'enseigne-t-on dans les écoles. Ceci dit, 1951, c'est trois ans après le Refus global... D'un côté, la vague de reconnaissance du féminisme, et notamment de la création féminine, a été favorable à un «retour en grâces» de l'œuvre de Marie Morin, mais de l'autre côté, le fait qu'elle fut une religieuse, et que les valeurs catholiques qu'elle a prônées fussent justement celles contre lesquelles s'élevaient les signataires du Refus Global, et notamment les femmes, ne pouvait que la desservir.

Il reste qu'il est, à mon sens, dangereux de confondre les valeurs spirituelles, la soif de foi inhérente au genre humain, avec les dogmes de l'Église et la rigidité inexcusable des institutions. En-dehors des contraintes, de l'étau rigoriste qui a longtemps enserré la Nouvelle-France, et tant d'autres pays chrétiens, au-delà de la stratégie politique que desservait cette organisation de l'Église catholique, restent les valeurs chrétiennes et œcuméniques fondamentales qui, la plupart du temps, furent véhiculées par les femmes, plus que par les autorités religieuses masculines. Ce sont là les valeurs de Marie Morin. Des valeurs d'écoute, d'aide et d'empathie. Une volonté de fondation, de construction, une volonté de laisser une trace, un sillon dans lequel édifier une civilisation et une société. Sa mère était sage-femme. De son côté, Marie Morin, a éduqué, secouru, nourrit, soigné, et écrit; donné une histoire et une mémoire à un peuple qui n'en avait pas encore.

Au XVIIe siècle il était vital d'imprimer non seulement ces valeurs, mais surtout l'empreinte d'un nouveau pays, d'une nouvelle identité, et de refuser de rester à cheval entre la France, l'océan et l'Amérique. Pour que les Québécois puissent aujourd'hui se définir comme des Américains de langue française et non plus comme des Français vivant en Amérique – ce qui représente tout un passage – il fallait fonder leur historicité. Il fallait que quelqu'un, au XVIIᵉ siècle définisse leur spécificité pour qu'ils cessent d'être les bâtards de la cour de France.

Marie Morin fut celle-là. En tout cas, elle fut la première.

NÉFERTITI

(XIVᵉ SIÈCLE AV. J.-C.)

*N*éfertit-iti... «la belle est venue»... Et, effectivement, elle en a apporté des bouleversements dans ses bagages, cette belle dont on a mis tant de siècles à découvrir l'identité. De nos jours, on a l'impression de la connaître, à travers les dizaines de livres, de films et d'expositions qu'elle et son pharaon d'époux, Akhenaton, ont inspirés depuis une cinquantaine d'années. Mais, encore là l'Histoire est injuste. Avant de parler d'elle, on a surtout parlé de lui, Aménophis IV – Akhenaton, celui que l'on nomme hâtivement le «flamboyant», l'inspirateur du monothéisme.

Et pourtant, au fil des découvertes archéologiques, malgré l'oubli et les saccages dont sa belle figure a fait l'objet, c'est elle, Néfertiti, aventurière du XIVᵉ siècle avant Jésus-Christ, qui apparaît enfin comme la véritable mère du monothéisme, la «reine soleil» que ses biographes aiment tant à louer aujourd'hui. Car sans Néfertiti, mais aussi sans sa mère Tiyi, Akhenaton aurait-il acquis sa dimension mythique? Peut-être, peut-être pas... On ne récrit pas l'Histoire et dans ses carnets, la place de chacun doit être respectée. Femme de pharaon, Néfertiti ne pouvait pas prétendre faire ombrage à

165

son mari, surtout quand celui-ci incarnait rien de moins que le disque solaire...

Néanmoins, on peut dire sans trahir ni surinterpréter que sans elle, Akhenaton serait demeuré Aménophis IV, fils pâlot de son père Aménophis III, fils incestueux de sa mère Tiyi. Il lui fallait une femme pour le révéler à lui-même. Il lui fallait une flamme pour assécher ses marécages intérieurs, il lui fallait de l'amour pour apaiser ses doutes d'enfant mal-aimé, il lui fallait un miroir grossissant autant que gratifiant pour l'autoriser à se voir beau, grand et puissant puisque rien, dans son éducation, ne le destinait vraiment à le devenir. Il lui fallait une révélatrice pour l'aider à naître à lui-même. Néfertiti fut tout cela : un miroir, une flamme, une vision du monde, une nourriture du corps et de l'âme qui permit à Akhenaton de se déployer à sa juste dimension. Il lui fallait une femme en somme, mais une vraie. Une femme totale. Un soleil pour guider et affermir ses pas, pour qu'il puisse à son tour éclairer les consciences.

J'aime beaucoup Néfertiti. Elle m'est proche comme une sœur de tempérament, d'idéal, de soleil aussi. Ce soleil qui en Égypte vous met toujours au défi de la résistance et de la surenchère. Est-ce si étonnant que le culte solaire et, de là, le monothéisme, soient nés sur les bords du Nil ? Certes pas. Au cœur du désert d'Égypte, le soleil n'a rien de symbolique. Il est. Même la nuit lorsque ses rayons, de biais, embrasent la lune. La lune que les Égyptiens appellent «la barque» et dont ils ont fait l'instrument de passage vers les ténèbres, parce qu'en ce point de la planète, si l'on regarde le ciel, on voit la lune couchée, comme posée sur la voie lactée, instrument de passage, de rêve et de révélation... Par-delà les siècles Néfertiti m'est proche. Lorsque je faisais mes recherches pour raconter son histoire à la radio, il me semblait presque la voir onduler autour de moi, sinon en moi. Sa longue figure verticale, sa beauté hiératique, sa révolte de fille vendue par son père, sa conquête d'amante, ses rapports troubles avec sa belle-mère puis avec ses filles… et ses douleurs de femme rejetée, solitaire, déchue, encombrante parce que trop fière, ou trop rusée… J'ai aimé toutes «mes» aventurières bien sûr, puisque je les ai minutieusement sélectionnées. Mais celle-ci, en particulier, réveillait en moi quelque chose de l'éternel féminin, quelque chose d'une mémoire millénaire, quasiment cellulaire…

J'aime beaucoup l'Égypte aussi. Et tandis qu'en juin 1998, Lise Garneau et moi inaugurions cette série radiophonique, on célébrait en France les deux cents ans de la première expédition napoléonienne. Sur les traces de Napoléon, l'Occident allait découvrir ses sources moyen-orientales et inaugurer l'orientalisme dont l'Europe se targuerait deux siècles durant. L'Europe, la France en particulier, reste encore très attachée à l'Égypte pharaonique qu'elle reconnaît à juste titre au rang de ses fondations culturelles, architecturales mais aussi spirituelles, symboliques et ésotériques. Le lien qui unit la France et l'Égypte depuis la fin du XVIIIᵉ siècle reste indéfectible, sans cesse ravivé, sans cesse élargi et intensifié. Mais moi, en ce mois de juin 1998, penchée sur des livres à la bibliothèque, je pensais à Néfertiti. Je pensais aussi que depuis trop longtemps je n'étais pas descendue jusqu'à Assouan, et que la couleur émeraude du Nil, les oiseaux de l'île Éléphantine, les felouques aux voiles blanches me manquaient terriblement. Raconter l'histoire de Néfertiti, tout comme celle d'Hatchepsout, c'est pour moi l'occasion de me remémorer tout cela.

Mais reprenons donc l'histoire du début…

Néfertit-iti, la belle est venue… Elle vient sans doute de loin. D'où, et pourquoi, à une époque où voyager n'est pas si facile, et où les Égyptiens plus que tout redoutent de quitter leur territoire sacré?… Elle ne vient donc pas d'Égypte, mais d'où alors? Il a fallu attendre le XXe siècle pour que ressuscite cette histoire du XIVe siècle av. J.-C. Trente-quatre longs siècles d'oubli, de sable et de désert, c'est dire si le temps humain ne signifie rien... Pour respecter la véritable renaissance archéologique que constitue l'histoire de Néfertiti, j'ai décidé de suivre exactement le cours des découvertes. Peu à peu, grâce à l'acharnement des égyptologues, la figure de Néfertiti a été sauvée du désert où elle aurait pu rester à jamais. Voici comment.

Pour son expédition égyptienne de 1798, Napoléon a l'inspiration d'emmener Champollion. Et, à partir de la lecture non moins inspirée des hiéroglyphes, s'ouvre alors un monde absolument considérable devant les yeux ébaubis des Français puis des Européens, qui accèdent à des textes qui révèlent une vision et une connaissance du monde tout à fait inédites, sinon hermétiques. Des textes, une vision du monde à laquelle, au fil des années, ils vont devoir s'initier, comme jadis, en Égypte pharaonique, les disciples d'Hermès et d'Horus devaient être initiés. Au fond, pour la première fois, les Français soulèvent un voile sur l'inconnu, découvrant des mystères aussi incompréhensibles que magnétiques. Grâce à ces inscriptions millénaires, ils ont enfin accès à ce qu'ils n'ont même pas conscience d'avoir perdu... En fait, les savants des Lumières, qui croient tout savoir et tout découvrir, se trouvent ainsi renvoyés à leurs propres sources secrètes, gravées là, dans la mémoire des pierres, révélées par les hiéroglyphes.

La découverte de ces textes marque un tournant crucial dans le développement de la conscience occidentale. À partir du début du XIXe siècle, l'engouement pour l'Égypte est considérable. À cette époque, l'archéologie c'est l'égyptologie. Bien sûr, aujourd'hui l'archéologie poursuit des directions très diverses, mais pendant tout le XIXe siècle, et encore pendant toute la première moitié du XXe siècle, l'archéologie est principalement concentrée sur l'époque pharaonique. Encore aujourd'hui on découvre des choses, ce dont témoigne par exemple, l'ouverture des salles égyptiennes du Grand Louvre en 1998. Toujours est-il qu'au fil des années les découvertes effectives ont remplacé les seules hypothèses, grâce à un cheminement tout à fait scientifique, celui de l'archéologie, celui en particulier des égyptologues allemands, qui sont à l'origine de la découverte de Néfertiti; mais très vite, aux Allemands se sont joints les égyptologues italiens, français et américains.

En 1842, pour la première fois, un égyptologue allemand, Karl Lepsius, découvre le *Décret de Canope*, inscription trilingue qui confirme les résultats obtenus par Champollion, dans le site retiré et insoupçonné de Tell el-Amarna, situé en Moyenne-Égypte, à proximité de la ville d'Assiout (laquelle constitue aujourd'hui le refuge des extrémistes islamistes et se trouve donc, à ce titre, inaccessible). El-Amarna se révèle par la suite d'une considérable richesse archéologique. En 1842, Lepsius y effectue une fouille, presque par hasard, et tombe sur des inscriptions stupéfiantes, qui sont autant d'hymnes à la beauté et à la puissance d'une héroïne inconnue. Sous sa brosse apparaissent les quelques phrases suivantes:

Splendeur et beauté couronnée de plumes,
Grande princesse héritière du Palais, Dame de grâces,
Livré à sa jubilation, on exulte dès qu'on entend sa voix.
Splendide est la splendeur du Soleil.

Il lit aussi cette épitaphe qu'on retrouve partout: Néfertit-iti, «la belle est venue»... Au milieu d'un site encore inconnu, il découvre ainsi un personnage apparemment grandiose, mais dont il n'a jamais entendu parler et qu'aucun indice ne lui permet encore d'identifier. Compulsant l'histoire des dynasties pharaoniques, il n'en trouve pas trace. Qui donc est cette belle inconnue, du nom poétique de

Néfertiti? À la suite de Lepsius, tout aussi intrigués que lui, ses collègues allemands se penchent sur ce qu'ils appellent bientôt «le cas Néfertiti», un vrai mystère archéologique comme tout égyptologue rêve d'en découvrir un jour, et qui le restera quasiment jusqu'en 1957, avec une étape, néanmoins, entre 1842 et 1957, qui marque une avancée significative. Cette étape est constituée par la découverte, toujours dans le site d'el-Amarna, du fameux buste de Néfertiti, tel que nous le connaissons tous aujourd'hui. En 1912, en effet, un archéologue allemand découvre ce buste polychrome, grandeur nature, et reste littéralement subjugué par la finesse des traits, par la beauté, par l'extraordinaire expressivité du regard. Par la délicatesse et l'incroyable maîtrise du geste dont témoigne la sculpture, et qui prouve que les artistes égyptiens de l'époque pharaonique, quinze siècles avant notre ère, possèdent déjà une extraordinaire dextérité.

Le sculpteur du buste de Néfertiti a su rendre la beauté exceptionnelle de cette femme, un peu orientale, un peu asiatique, avec des yeux quelque peu bridés. En outre, cette sculpture, retrouvée en 1912 présente l'avantage d'avoir été parfaitement conservée. D'une certaine manière cependant, la découverte d'une pièce de l'énigme ne fait que rendre le mystère plus dense encore. Le «cas Néfertiti» confine au thriller archéologique... Dans toute l'Europe, et aux États-Unis, les interprétations, les supputations les plus farfelues se multiplient d'autant que, pour parfaire l'énigme, le mystère Néfertiti se double bientôt du mystère Akhenaton. Les chercheurs s'aperçoivent que, sur toutes les stèles, les inscriptions et les visages ont été systématiquement martelés, grattés et sommairement peinturés, révélant une irrécusable volonté d'annihilation et d'effacement. Tout pousse à conclure que l'histoire de Néfertiti a fait l'objet d'une volonté d'oubli.

L'œuvre de destruction est telle qu'il faudra attendre 1957, et la découverte d'un document archéologique extrêmement précieux, connu aujourd'hui sous le nom des *Correspondances d'Amarna*, pour que l'histoire de Néfertiti, et conséquemment celle d'Akhenaton, resurgisse sous les sables du temps.

Les *Correspondances d'Amarna*, datant du début du XIVe siècle av. J.-C., révèlent la correspondance d'un roi hittite avec Pharaon, donc à l'époque Aménophis III. Aménophis III est marié avec une femme à la peau noire venue de Nubie, du nom de Tiyi, qui est sa première épouse. Mais néanmoins, il a une seconde épouse officielle, sa propre fille Sitamoun, conformément aux coutumes de l'époque. Sitamoun d'ailleurs n'est autre que la mère de Toutankhamon.

À l'époque des *Correspondances d'Amarna*, le pharaon, vieillissant, entretient une correspondance avec un roi de Mitanie, région située dans le nord-est asiatique. Les archéologues découvrent que ce roi de Mitanie propose à Pharaon de lui donner sa fille, Tadouchépa (dans ces textes, il est encore question de Tadouchépa et pas encore de Néfertiti) en échange de l'or dont il a besoin pour ses constructions. Et effectivement, il semble que Pharaon a accepté puisque les *Correspondances* relate l'arrivée de cette fameuse Tadouchépa à la cour de Thèbes, auprès d'Aménophis III, dont elle devient la troisième épouse. La belle venue s'appelle donc à l'origine Tadouchépa, de cet étrange prénom à consonance asiatique, avant de devenir Néfertit-iti. La belle vient de loin en l'occurrence, par-delà le désert d'Arabie, vendue par son roi de père. Elle change son prénom, comme souvent lorsqu'on devenait épouse de Pharaon, et parce qu'elle vient de loin et qu'elle est si belle, on l'appelle Néfertiti.

Mais que pense la belle en arrivant à cette cour de Thèbes auprès d'un mari déjà vieux? Que pense-t-on, lorsqu'on est âgée de 16 ans et que la vie se referme sur vous comme un étau? Même si ces coutumes correspondent aux destins des princesses de l'époque, Tadouchépa-Néfertiti, dont on découvrira le caractère impétueux, ambitieux et volontaire, est-elle décidée à suivre son destin sans tenter d'y imprimer la moindre direction? Les archéologues, au fil de leurs découvertes, découvrent une vérité assez différente.

À la cour de Thèbes, vers 1370 av. J.-C., la situation est la suivante: Aménophis III, qui est un grand pharaon, intelligent, dynamique, autoritaire et imposant, règne en maître, soutenu par le puissant clergé dévolu au culte du dieu lunaire à tête de bélier, Amon. Sa première épouse, Tiyi, mère de son successeur Aménophis IV, révèle également un caractère très fort. Sa deuxième épouse, Sitamoun, devient par ailleurs la mère du futur Toutankhamon. Et il vient d'épouser Néfertiti avec qui il a trois filles, avant de mourir peu de temps après la naissance de leur troisième enfant.

Tiyi et Néfertiti se trouvent donc être coépouses, et donc rivales d'une certaine manière. Mais elles ont déjà, et ça c'est une petite graine pour la suite, une particularité: leurs origines sont sans doute communes. Elles ont une ressemblance physique assez frappante, bien que Tiyi ayant une mère égyptienne et un père hittite, soit très foncée de peau, alors que Néfertiti arbore un teint doré, un type asiatique plus prononcé. Néanmoins, leurs origines communes peuvent déjà laisser soupçonner qu'elles partagent aussi des cultes communs, ce qui, par la suite, s'avérera et jouera un rôle capital dans l'histoire.

À la mort de son père, Aménophis IV, fils de d'Aménophis III et de Tiyi, est âgé de 12 ans. Le moins que l'on puisse dire c'est qu'il n'affiche pas une personnalité extrêmement flamboyante... C'est sa mère, Tiyi, qui prend la régence. Tiyi, elle, est un personnage considérable, une maîtresse femme et si le père, Aménophis III, a été dominateur, Tiyi, elle, en constitue le superlatif... Elle agrippe les rênes du pouvoir d'une main ferme, tout à fait décidée à ne plus les lâcher. Dans ce contexte, que s'est-il passé? Qui a pris la décision qui va bouleverser une seconde fois la vie de Néfertiti et par la suite, révolutionner le clergé, mettre à bas les très anciennes fondations spirituelles, architecturales, institutionnelles de l'Égypte pharaonique? Aménophis IV prend-t-il seul sa décision? C'est peu probable... Il est plus vraisemblable que Tiyi l'y pousse, sinon contraint, et sans doute parce qu'elle pense trouver en Néfertiti une alliée et non l'impitoyable rivale qu'elle se révélera. Toujours est-il donc qu'Aménophis IV épouse Néfertiti, troisième épouse de son père, âgée de 18 ou 19 ans alors que lui n'en a que 12.

Ils vont avoir trois filles ensemble. Encore trois filles! Cependant, pour les archéologues il est clair –, puisque j'ai retrouvé plusieurs fois la même version dans plusieurs livres d'histoire – il existe des représentations de Tiyi avec Aménophis IV dans lesquelles Néfertiti se tient toujours au second plan, en léger retrait de ceux que l'on nomme «le couple royal». Les inscriptions des stèles indiquent d'ailleurs la chose suivante: «Tiyi, grande mère, reine mère et grande épouse royale». Tiyi est donc considérée, pendant cette période de sa vie, effectivement comme la mère du pharaon Aménophis IV mais également comme son épouse royale. La situation incestueuse semble ainsi avérée; tabou, mais avérée... Et s'il était très commun que les pharaons épousent leurs filles, le contraire demeurait assez secret... bien qu'imprimé dans la pierre! Drôle de situation tout de même pour une belle venue de si loin, pour épouser le père puis le fils, et partager toujours ses deux époux successifs avec la même rivale, première épouse du premier et mère du second... Qu'a-t-elle pensé, la belle, de cette situation imposée? De ses sentiments nous ne savons rien. Nous savons par contre qu'elle a renversé la situation à son avantage, voire qu'elle a su s'appuyer dessus pour parvenir à ses fins.

173

C'est ici que le thriller se transforme en essai de stratégie politique, religieuse... et féminine, puisque la révolution solaire effectuée par Akhenaton est directement issue des manœuvres, des rivalités et des intrigues de Tiyi et de Néfertiti. L'archéologie moderne nous révèle d'autres éléments. À présent que l'on sait reconstituer les sites archéologiques sur ordinateur, et notamment le site de Karnak, on peut à loisir agrandir les inscriptions des temples et percer leurs secrets. En l'occurence, plusieurs inscriptions du temple de Karnak précisent bien que la grande prêtresse du culte solaire introduit par Aménophis IV-Akhenaton est... Néfertiti.

Nous voici donc au cœur des choses. Pour comprendre l'importance de la révolution politique et religieuse qui se prépare, il nous faut revenir sur le culte en vigueur à l'époque, au XIVe siècle av. J.C., en Égypte comme d'ailleurs dans le monde connu. Bien sûr, politique et religion sont indissociables. Les cultes originels sont polythéistes, féminins et lunaires, le polythéisme étant symboliquement rattaché à la lune, représentation de la déesse-mère. Moïse lui-même était adorateur de la lune dans sa ville chaldéenne d'Our, avant d'engendrer les deux fils qui fonderont respectivement l'islam et le judaïsme. La terre d'Égypte sera le lieu de la transformation du lunaire au solaire, du polythéisme au monothéisme. Ce qui se reproduira par la suite, au cours des premiers siècles chrétiens, peut déjà se pressentir au XIVe siècle av. J.-C., à travers l'instauration du culte solaire par Akhenaton et Néfertiti.

Les recherches archéologiques révèlent que Néfertiti est la grande prêtresse du culte solaire instauré par Aménophis IV-Akhenaton, au prix d'une âpre bataille avec le clergé d'Amon responsable du culte lunaire en vigueur à l'époque. Aménophis IV brave une révolte extrêmement importante des prêtres d'Amon, qui voient leur pouvoir et leur influence séculaire remis en cause comme jamais cela n'a été le cas, à aucune époque, sous le règne d'aucun pharaon et surtout pas sous celui d'Aménophis III qui, pour sa part, avait tout au contraire consolider le pouvoir des prêtres d'Amon afin de s'assurer leur soutien. Le nom même d'Aménophis témoigne du lien traditionnel de pharaon avec le culte d'Amon puisque Aménophis signifie «qui est agréable à Amon». Je vous laisse à penser combien, pour Aménophis IV, écrasé par la personnalité de son père puis soumis à la domination de sa mère Tiyi, régente et épouse royale, l'abolition du culte lunaire d'Amon au profit du culte solaire d'Aton, et en conséquence l'abandon de son nom de lignage Aménophis – «celui qui est agréable à Amon» – pour un nom créé par lui-même et pour lui-même, Akhenaton – «celui qui est agréable au Disque» – ont pu représenter une mise à mort symbolique du père, autant qu'une renaissance personnelle. Un auto-engendrement.

Pour exister et se faire respecter, il se doit de couper net avec son ascendance et s'imposer, unique tel le soleil, créateur d'un culte inédit mais également d'un style architectural et artistique totalement original. Son pouvoir ne pouvait s'imposer qu'à ce prix. Pour être enfin reconnu pharaon, il doit devenir le soleil lui-même. Jusqu'à Aménophis IV, Aton ne signifie rien d'autre que le disque solaire. Il en fait un dieu, plus même, le dieu principal et unique dont lui, Akhenaton, devient ainsi l'incarnation terrestre... Bien sûr, l'interprétation psychologique, voire psychanalytique, est très tentante, et a été plusieurs fois tentée. Au cours de mes recherches, j'ai lu deux ouvrages qui défendaient la thèse selon laquelle le mythe d'Œdipe puisait sa source dans l'histoire d'Aménophis IV-Akhenaton, tout comme celui des travaux d'Hercule était une interprétation des victoires de Ramsès II. Je n'ai pour ma part aucun avis patenté sur la question, néanmoins, considérant l'étendue des «emprunts» faits par les Grecs conquérants des Égyptiens, cette thèse reste historiquement fondée...

En revanche, le fait qu'Aménophis n'effectue certainement pas une telle révolution par lui-même, dépasse la seule hypothèse. Les recherches les plus récentes convergent vers la certitude qu'il n'en est pas non plus à l'origine. La revanche d'Akhenaton n'a pas eu lieu sans les intrigues menées en arrière-plan par Tiyi et Néfertiti, puis par Néfertiti contre Tiyi...

Car qu'apportent-elles dans leurs bagages ces deux femmes venues de loin, Tiyi la noire venue de Nubie, et Néfertiti venue de Mitanie? À l'extraordinaire beauté de Néfertiti correspond la fascination inspirée par Tiyi et l'autorité omnipotente de cette dernière répond la force de caractère, l'esprit logique, réaliste et efficace de sa belle-fille. Sans doute Tiyi pense-t-elle très vite à l'utiliser à son profit. Instigatrice du mariage de son fils encore adolescent, sans doute décide-t-elle de faire une alliée de celle qui peut demeurer sa rivale. Elles, les deux étrangères venues de loin pour épouser le même homme, un premier puis finalement un second, savent sans doute qu'à la mort d'Aménophis III, elles ne devront leur survie qu'à leur alliance stratégique face aux puissants prêtres d'Amon. Or, destituer les représentants du culte garant du pouvoir, implique directement de déraciner le culte lui-même. Polythéisme contre monothéisme. Lune contre Soleil. Mais dans cette partie, le soleil est à l'origine incarné par des femmes qui trouvent un homme, leur fils et époux, pour servir leurs desseins. Un homme. Un disque. Un bouclier. Akhenaton, «celui qui est agréable à Aton». L'essentiel étant, ou du moins le devint-il, que le culte solaire constitue déjà le principal bagage de leurs communes origines hittites...

Dès le début de sa régence, Tiyi s'oppose violemment au clergé d'Amon. Imposer le dieu Aton au détriment du dieu Amon constitue son idée directrice mais ne peut se réaliser sans le pharaon en titre. Il faut donc qu'Aménophis IV soit le premier converti à la nouvelle religion, puis qu'il la défende avant de l'incarner. Cela constitue la part d'influence de Tiyi bien sûr, mais aussi et surtout de Néfertiti.

Les récits mettent en exergue son influence sur son époux, plus jeune qu'elle et au caractère combien plus fragile et incertain que le sien. On décrit Aménophis IV lunatique, instable, cyclothymique. Avec les années, l'influence de Néfertiti, grâce à sa capacité à le rassurer et à l'orienter, ne cesse de croître tandis que diminue l'ascendant de Tiyi.

En effet, si Tiyi cherche à perpétuer la dépendance d'Aménophis IV, Néfertiti, tout au contraire, lui montre la voie d'une possible autonimie : elle le persuade que pour exister, pour se faire respecter, pour prendre sa revanche sur son père et même sur sa mère, il doit devenir le soleil, il doit évincer les prêtres d'Amon, il doit devenir le créateur d'une nouvelle religion. Il doit changer de nom. Aménophis IV devient Akhenaton. Auprès de son peuple, il est l'égal d'un dieu, adulé et honoré au même titre qu'Aton. Relégué à l'exil, l'ancien clergé se regroupe néanmoins et prépare sa vengeance. Akhenaton remporte une bataille qu'il n'a même pas imaginé mener. Sous la poussée de Néfertiti, il finit même par reprendre le pouvoir à Tiyi qui néanmoins assure la régence jusqu'à ses 22 ans !... Il remplace l'ancienne capitale de Thèbes par une cité toute neuve dédiée à Aton, Akhetaton. Néfertiti à ses côtés, devant eux n'existe plus aucun obstacle. Juste une grande allée illuminée de soleil... *Splendide est la splendeur du soleil...*

Jadis alliée à sa belle-mère par nécessité, la belle Néfertiti à la tête froide et logique apparaît désormais comme la seule alliée de son époux. Son instigatrice. Sa conspiratrice. Son chef de guerre. Sa grande prêtresse. Sa mère véritable, celle qui l'a révélé à lui-même.

Les représentations témoignent de cette évolution. Si au début de son règne, on représente Aménophis IV et sa «grande épouse royale» Tiyi, en grand, reléguant Néfertiti en tout petit et en arrière-plan, les représentations s'inversent. Néfertiti trône désormais au premier plan auprès d'Akhenaton et Tiyi n'apparaît plus qu'en tout petit, à une extrémité du bas-relief. Les archéologues, dans leurs commentaires, vont encore plus loin, affirmant qu'Akhenaton adore et adule la belle comme elle adore et adule le dieu soleil... Entre sa 22e et sa 30e année environ, Akhenaton connaît son temps d'apogée, son temps de splendeur et de gloire, qui est aussi celle du nouveau culte solaire.

Mais bien sûr, la course du disque solaire le conduit inexorablement vers son crépuscule. Pour Akhenaton, Néfertiti incarne le miroir dans lequel il se voit tel qu'il est. Laid, malade, tellement insignifiant par rapport à elle, trop parfaite. Celle qu'il a adoré et qui elle aussi, sans doute, l'a beaucoup aimé, après lui avoir révélé le meilleur de lui-même, révèle aussi le pire. Avec l'intensité impitoyable d'un soleil en plein zénith. Or, lorsqu'on est l'incarnation d'Aton, lorsqu'on l'est devenu, on ne peut supporter sa propre ombre portée.

Lorsqu'au début du siècle, les archéologues allemands découvrent des représentations du couple royal, ils savent que Néfertiti est cette «splendeur solaire venue de loin». La découverte de sa beauté, de son maintien impérial, les confortent dans la certitude qu'elle est la figure principale de l'énigme pharaonique. Mais qui donc est «le nain hideux» qui se trouve à ses côtés? Son esclave, son bouffon?... Pas le pharaon tout de même! Et pourtant... On sait aujourd'hui, du moins cette interprétation est-elle communément admise, que le corps difforme d'Akhenaton, sa silhouette malingre et voûtée, supportant avec peine une tête trop volumineuse, tout à fait disproportionnée, que cette difformité donc révèle les stigmates d'une maladie hormonale qui, en quelques années, le transforme en monstre hydrocéphale. Il est défiguré, souffreteux. Elle ne cesse au contraire de grandir en beauté, en notoriété et en puissance. Elle la Belle, lui la Bête, l'alliance improbable d'une sirène intelligente et d'un *Elephant Man* trop sensible... Les archéologues disent: «Il l'a adulée et vénérée comme elle-même adulait et vénérait le soleil.» Il se met bientôt à la haïr ou bien ne supporte-t-il pas que cette femme qu'il a tant aimée pose chaque jour son beau regard bridé sur sa décrépitude. Splendide est la splendeur du soleil... Injuste est l'injustice du destin...

On ne saura jamais exactement ce qui s'est vraiment passé. Une seule chose est sûre: un jour, alors qu'Akhenaton a environ 30 ans, et elle-même à peu près 34, Néfertiti quitte la cour pour s'exiler dans le désert. Elle s'en va mais on peut facilement penser qu'Akhenaton la répudie. Elle s'en va vivre dans le désert égyptien, sous un soleil qui n'a peut-être plus rien de divin, aussi seule et désespérée que le jour où elle arriva à la cour de Thèbes. Néfertiti, la belle est venue... Comment dit-on «la belle est repartie» en égyptien?

Akhenaton meurt deux ans plus tard, en 1354 av. J.-C. Il a vécu 33 ans, et pour ceux qui veulent lire dans ce chiffre un signe symbolique, l'analogie est effectivement facile: 33 ans, le cycle exact du soleil... Et puisque le culte solaire introduit par Akhenaton et Néfertiti constitue le germe du monothéisme qui bouleversera la face du monde quelques siècles plus tard, l'analogie se fait également avec le Christ, figure solaire s'il en est...

Quelques mois avant de mourir, conformément aux coutumes de l'époque et comme son père l'a fait avant lui, Akhenaton épouse la dernière fille qu'il a eue avec Néfertiti. Cette dernière, exilée dans le désert, meurt peu de temps après, vers l'âge de 37 ans.

Évidemment, les prêtres d'Amon qui pendant toute cette période s'étaient constitués en société secrète à Thèbes, continuent à cultiver le culte lunaire polythéiste d'Amon. À la mort d'Akhenaton et de Néfertiti, ils se dépêchent d'effacer toute trace de ce couple hérétique, de marteler leur nom et de détruire les réalisations de leur règne autant que de leur scandaleuse histoire, pour rétablir le culte ancestral. Le monothéisme mettra plus de cinq siècles avant de s'imposer mais, malgré leur obstination, les prêtres d'Amon auront juste réussi à en retarder l'expansion. À la suite d'Akhenaton et de Néfertiti, les graines du monothéisme ont été mises en terre. Le judaïsme, le christianisme et l'islam écloront sur ce terreau fertile.

Extraordinaire et stupéfiante histoire que celle de Néfertiti...

Les institutions religieuses qui aujourd'hui sont devenues tellement machistes devraient peut-être méditer sur l'histoire de ces deux femmes – Néfertiti et Tiyi –, l'une Asiatique, l'autre Noire, qui, venues de loin, dans leurs bagages ont apporté le culte du soleil.

Quant à Néfertiti, je l'aime beaucoup, telle qu'elle fut ou du moins, telle qu'elle fut reconstituée au fil des découvertes archéologiques, avec sa part de lumière et de splendeur, mais aussi avec sa part d'ombre, sa part crépusculaire...

MARIE ROLLET-HÉBERT

1580-1659

*M*arie Rollet n'est pas que la femme de Louis Hébert. Marie Rollet, c'est la première.

Celle par laquelle j'ai débuté la longue série radiophonique des *Aventurières* avec la volonté de lui rendre justement sa place de pionnière, de mère fondatrice de la Nouvelle-France. Je me souviens qu'en été 1998, alors que je me trouvais chez des amis à la campagne, je me suis rendue dans l'extraordinaire bibliothèque de Terrebonne pour préparer cette chronique. Je pensais trouver plusieurs ouvrages sur Marie Rollet et n'avoir que l'embarras du choix. Ce ne fut pas le cas. Je n'ai pu reconstituer son histoire qu'à travers plusieurs ouvrages et dictionnaires consacrés à son mari, Louis Hébert. Et pourtant Louis Hébert ne vécut pas plus de dix ans en Nouvelle-France. Et pourtant Marie Rollet, dont Louis Hébert fut le premier mari, non seulement resta en Nouvelle-France deux fois plus longtemps que lui mais accompagna celui-ci au cours de cette première décennie fondatrice. Et, après sa mort, acheva et consolida leur œuvre commune mais, prit des initiatives personnelles qui marquèrent irréversiblement le devenir du nouveau pays.

Et pour moi, une aventurière c'est avant tout une voyageuse, c'est-à-dire une aventurière au sens premier, et géographique, du terme. Or, effectivement, en ce début du XVIIᵉ siècle qui signe la naissance de la Nouvelle-France, l'aventure, c'est obligatoirement un voyage. Une traversée des eaux, de la *mare* atlantique, autant qu'une aventure de l'esprit. C'est une bataille physique avec les éléments et l'hostilité de l'environnement, autant qu'une confrontation avec les coutumes et la foi des autochtones. Une victoire en somme sur ses propres limites, extérieures comme intérieures, un défi à devenir ce que rien à l'origine ne vous destine à être. Pour moi, l'aventure se définit par la capacité à affronter l'inconnu et à l'intégrer en soi.

On est toujours, selon l'époque à laquelle on vit, l'«autre» de quelqu'un. Et l'«autre» de l'Europe en ce début du XVIIᵉ siècle, c'est l'Amérique que les Européens ont «découvert» à la suite de Colomb en 1492 et de Cabot en 1497, mais surtout tout au long du XVIᵉ siècle. Je dis «découvrent l'Amérique» et je mets des guillemets parce la notion de découverte s'accompagne forcément, pour les Européens, d'une notion de conquête et de soumission. En ce sens, entre le XVᵉ et le XVIIᵉ siècle, les conquérants européens s'approprient les nouvelles terres américaines et soumettent les survivants autochtones. Mais en aucun cas ils ne «découvrent» l'Amérique. Vers l'an 1000 les Vikings avaient déjà vogué jusqu'à Terre-Neuve à la recherche de poissons, découvrant – et là il s'agit d'une découverte au sens littéral du terme – la vigne et le tabac. Par ailleurs, historiens et ethnologues sont aujourd'hui d'accord pour faire remonter l'arrivée des premières populations, venues du Kamtchatka, en Sibérie, par l'Alaska, à 35 000 ans avant notre ère.

Les Français pour leur part conquièrent l'Amérique par le Canada à partir de 1534 à la suite de Jacques Cartier. C'est effectivement un point de vue complètement différent puisqu'il s'agit de la version nord de la conquête continentale. Jacques Cartier fait une erreur, non pas de navigation, mais en tout cas d'interprétation. Il est convaincu qu'il existe un passage mythique vers les Indes. Alors, plutôt que de contourner le continent, il pense qu'il peut passer par le nord. Il s'engage sur ce qu'il croit être un bras de mer, et est en fait le Magtogœk, le «Chemin qui marche» des Amérindiens, futur Saint-Laurent. Au fur et à mesure qu'il avance, il arrive dans les hauteurs de Québec et il s'aperçoit vite que les richesses qu'il aborde sont beaucoup plus importantes que celles qu'il est censé partir chercher en Inde et en Chine... Je m'arrêterai là dans cette histoire qui est abondamment racontée ailleurs.

Ce qui nous intéresse ici, c'est que la première famille française s'installe au Québec en 1617. C'est la famille de Louis Hébert et de sa femme, Marie Rollet. Outre la «démangeaison des ailes» qui marque profondément, je crois, le signal de départ pour tout aventurier et aventurière qui se respectent, quelles raisons poussent Louis Hébert à tenter cette périlleuse aventure? Il veut «faire souche». Il est poussé par l'idée que ses descendants voient une terre nouvelle et un horizon inédit. Il sait pouvoir posséder en Nouvelle-France un territoire immense, dont les limites ne dépendront que de sa capacité à dompter l'environnement et à défricher autant de terrain qu'il lui sera humainement possible de travailler. Un territoire en tout cas beaucoup plus grand que tout ce qu'il pourrait posséder en France, bien qu'il soit bourgeois de naissance.

Né en 1575, Louis Hébert est apothicaire et même fils de l'apothicaire de la cour de Catherine de Médicis. Il est né et habite au Louvre au moment où il se décide à s'exiler. L'agriculture et le défrichage ne lui font pas peur, car, outre son métier d'apothicaire, il nourrit une passion de cultivateur. Au Louvre, il possède un jardin potager où il peut donner libre cours à sa passion de la terre. Ses deux ambitions se résument donc ainsi: faire souche et défricher.

Et Marie Rollet, pourquoi se décide-t-elle à une telle aventure? Elle vient de la haute bourgeoisie catholique bretonne. Elle est née à Saint-Malo, probablement dans les années 1580. En réalité, elle ne se met à exister qu'en devenant Québécoise, c'est-à-dire après son arrivée en Nouvelle-France. Avant cela, on connaît d'elle que son lieu de naissance, Saint-Malo, qu'elle est mariée à Louis Hébert et qu'elle l'a suivi. Comme toute bonne épouse de l'époque, elle suit son mari avec ses trois enfants, avec ce que représente quand même cette traversée de l'océan en goélette. On imagine quand même qu'elle est poussée déjà par une énergie considérable. Elle n'est pas à l'origine de sa propre aventure parce que ce n'est pas elle qui donne le signal de départ. On ne sait même pas si elle l'y encourage mais en tout cas, elle accompagne et seconde son époux. Il n'en reste pas moins que cette aventure la révèle à elle-même. Cette grande traversée l'inscrit dans son destin personnel, et pas seulement dans celui de son époux. Marie Rollet va imprimer ses valeurs, colorer la Nouvelle-France de ses convictions puisées aux sources de la bourgeoisie française de l'époque, mais agrémentées de son caractère et de sa vision du monde personnels.

La famille débarque en 1617 dans la ville de Québec fondée en 1608 par Samuel de Champlain. Elle s'installera plus au nord, dans Charlevoix, dans une zone totalement sauvage. Mère de famille, aventurière sur une terre nouvelle, elle apparaît d'abord comme le bras droit de son mari. Bien qu'elle n'en ait pas le titre, elle est apothicaire comme lui. Avec Louis Hébert, ils soignent les soldats et les religieux qui se trouvent là, mais également les Amérindiens, principalement les tribus alliées des Français, Hurons, Algonquins et Montagnais. Ils s'opposent symétriquement aux Iroquois, alliés aux Anglais. Même après la mort de son mari, Marie

Rollet fait activement partie de ces guerres permanentes entre Français et Anglais et donc entre les tribus alliées respectives. On peut donc dire que, même bourgeoise, élevée dans les couvents bretons et dame de la cour parisienne, elle ne reste pas cachée dans sa cuisine! Loin s'en faut! La relation engagée qu'elle entretient avec les tribus autochtones est d'ailleurs essentielle dans l'implantation et l'expansion de la famille.

Essayons d'imaginer ce qu'est le Charlevoix au tout début du XVIIᵉ siècle. Un pays sauvage, rébarbatif et physiquement dangereux. Les Autochtones connaissent ce pays-là, c'est le leur. Il faut que Français et Amérindiens soient alliés du moins entre hommes, parce que nous verrons que Marie Rollet rencontre de sérieux problèmes avec les femmes amérindiennes pour d'autres raisons... Il faut aussi se rappeler que la communauté française – heureusement ou malheureusement – est installée de telle manière, très haut sur le Saint-Laurent, qu'elle s'y trouve véritablement enclavée. Déjà réduite, elle se trouve coupée de tout moyen de communication six mois par an à cause de la neige et des glaces, ce qui n'est pas le cas des communautés anglaise et hollandaise installées sur les bords de l'Atlantique. Ceci explique que les communautés anglaise et hollandaise augmentent vingt-cinq fois plus vite que la communauté française, réalité qui déterminera évidemment de manière très importante la suite de l'histoire canadienne et québécoise.

Marie Rollet seconde également son mari dans le dur travail de défrichage. Tout autant que lui, elle se révèle une cultivatrice passionnée affrontant le roc, la glace, la forêt avec une détermination héroïque et une énergie étonnante. En dix ans, entre 1617 et 1627, ils développent des potagers, des vergers de pommes de Normandie, des pâturages pour leur élevage bovin, et bientôt porcin, là où ils n'ont trouvé qu'abondante nature sauvage.

Nous avons beau évoquer cette époque, et avoir lu par exemple, Maria Chapdelaine, sommes-nous tout à fait conscients de ce que pouvait représenter la domestication de telles immensités, et dans de telles conditions climatiques? Marie Rollet a déjà 37 ans à son arrivée en Nouvelle-France. Ni elle ni Louis Hébert ne sont donc de toute prime jeunesse. Leur mérite ne nous en apparaît que plus grand. Et pourtant, même domestiquée, la nature prend une cruelle revanche. En janvier 1627, dix ans seulement après leur implantation et au moment où ils peuvent enfin jouir des premiers résultats de leur œuvre titanesque, Louis Hébert meurt d'une mauvaise chute sur le Saint-Laurent gelé. À 47 ans, Marie Rollet se retrouve donc veuve, et seule à poursuivre ce qui fut leur œuvre commune en Nouvelle-France.

C'est dans ces circonstances douloureuses qu'elle prend sa pleine dimension. Lorsqu'elle arrive en 1617, elle est déjà une femme mûre, avec trois enfants. En 1627, Louis Hébert laisse en mourant une femme d'expérience, aux convictions et à la force de caractère bien éprouvés. Malheureusement, leur première fille meurt en couches. Leur fils est encore très jeune par rapport aux filles. Leur fille cadette, Guillemette a épousé Guillaume Couillard. J'ai lu, justement à la bibliothèque de Terrebonne, que les trois quarts des familles québécoises d'aujourd'hui sont toujours de lignée directe ou indirecte des Hébert-Couillard. Le rêve de Louis Hébert est donc réalisé: il a fait souche, engendrant la principale famille fondatrice du Québec.

À l'époque déjà, leur vaste demeure, trônant au milieu des terres défrichées, est connue comme «la maisonnée Hébert». C'est en vérité la «maisonnée Marie Rollet» qui se révèle être une matrone au caractère affirmé, indépendante, autoritaire, fine mouche, catholique fervente et convaincue, qui dompte les Jésuites, apprivoise les Amérindiens, tient tête à ses gendres, filles, petits-fils, et qui finit effectivement par devenir le pivot dans cette nouvelle communauté française, la «cariatide» de la Nouvelle-France!

Moins de 18 mois après la mort de Louis Hébert, elle se remarie avec un homme plus jeune qu'elle. Faisant déjà l'objet des critiques des Jésuites, ce remariage, pour le moins inhabituel, n'améliore sans doute pas sa réputation... Il faut dire tout de même, qu'à l'époque les femmes n'ont que l'embarras du choix pour se marier et se remarier. Ce déséquilibre entre le nombre d'hommes et de femmes préside d'ailleurs à la fameuse politique des «Filles du Roy» quelques décennies plus tard... Donc, elle n'a que l'embarras du choix pour se remarier aussitôt, et elle a près de 50 ans lorsqu'elle le fait.

Outre ce mariage, elle introduit une innovation agricole absolument essentielle, six mois après la mort de son mari: la charrue à bœufs qu'elle utilise pour la première fois en juin 1627, donnant ainsi naissance à l'agriculture. Aux potagers, aux pâturages et aux vergers s'ajoutent ainsi des champs. Jusque-là, Louis Hébert et elle travaillaient uniquement à la main sur des surfaces forcément réduites. Avec la charrue à bœufs, c'est véritablement le démarrage de l'agriculture – on ne va pas dire vraiment «intensive», mais à plus grande échelle que tout ce qui a existé jusque-là.

Elle initie un autre changement capital en 1629: elle convertit le tout premier Amérindien, fils d'un grand chef, au catholicisme. Elle devient ainsi la première marraine d'un Indien converti et est, à partir de là, de nombreuses fois marraine d'autochtones christianisés. Les livres d'histoire racontent une scène truculente d'une Marie Rollet qui fait la cuisine pour tout le monde. On y décrit le nombre de canards, d'oies, de pigeons... Et on y raconte surtout qu'elle invite les Jésuites, le curé forcément pour baptiser, mais aussi les soldats, quel que soit leur grade, ainsi que tous les membres, innombrables, de la tribu des baptisés. Toute une faune qui jamais ne se croise, les Français cultivant toute une réserve, sinon un vrai mépris, pour les Sauvages, même convertis... Marie Rollet n'hésite pas à mélanger tout le monde dans sa maisonnée, ce qui témoigne à la fois de son caractère et de son impact au sein de la communauté. Imposant ainsi ses valeurs de cultivatrice, de mère de famille, de maîtresse-femme mais également de catholique fervente, elle fonde les valeurs qui gouverneront la Nouvelle-France pour de nombreux siècles, certainement jusqu'à la moitié du XXe siècle, jusqu'à l'époque du Refus Global voire de la Révolution tranquille...

Ce sont ces valeurs, et la manière dont elle les incarne, qui opposent Marie Rollet aux femmes amérindiennes. Le choc entre les deux cultures, amérindienne et chrétienne, en particulier sur le rôle et la place du féminin, est inévitable. La société indienne est profondément matriarcale. Les femmes, surtout les aînées, y détiennent un large pouvoir, et ne voient pas l'arrivée de cette matrone française d'un bon œil. Marie Rollet eut été insignifiante qu'elle les aurait sans doute moins dérangées, mais ce n'est pas le cas. Elles s'opposent tout particulièrement sur le plan de la religion et de la médecine. Les femmes indiennes en effet sont généralement dépositaires du savoir médical, en tant que femmes-médecins. Elles sont aussi souvent les prêtresses de leurs cultes. Et comme elles sont bien sûr beaucoup plus nombreuses, Marie Rollet doit user d'intrigues et faire preuve d'opiniâtreté.

Elle ne s'attaque pas directement aux acquis ancestraux des Amérindiennes. Pour exercer et étendre son influence, elle œuvre auprès des hommes, qu'elle embauche d'abord comme domestiques et dont elle finit par s'attirer les bonnes grâces mais aussi la protection armée. Au bout de quelques décennies, elle finit par étendre son pouvoir sur eux en les rendant dépendants du travail qu'elle leur offre. C'est ainsi qu'elle parvient à les persuader de se convertir. Pendant plusieurs décennies, elle ne convertit que les hommes. Il faut attendre la fin de la première guerre qui oppose Anglais et Français de 1629 à 1632 – guerre victorieuse pour les Français pendant laquelle Marie Rollet joue, combattant aux côtés des tribus amies, un rôle déterminant – pour qu'elle ouvre sa maison à la nouvelle génération d'Amérindiennes, venues chez elle pour être élevées et éduquées par les Jésuites (mais sous le toit de la maisonnée Rollet). Elle recueille notamment les deux petites Montagnaises adoptées par Champlain, Charité et Espérance.

Défricheuse, Marie Rollet l'est aussi pour Jeanne Mance, Marguerite Bourgeoys ou Marie Guyard de l'Incarnation qui, grâce à elle, trouvent un terreau propice à leur œuvre. Elle est en tout cas volontaire, intelligente, accueillante et respectueuse. Respectueuse jusqu'à quel point, puisque tout de même, son objectif reste la conversion doublée de sa détermination à imprimer les valeurs de l'ancienne France à la Nouvelle-France. À sa mort, en 1649, à l'âge probable de 69 ans, elle aura vécu autant d'années de part et d'autre de l'océan et aura atteint son objectif, celui aussi de Louis Hébert, d'assurer la transition d'un continent à l'autre.

On peut à juste titre la considérer comme la «mère de la Nouvelle-France».

N'avons-nous pas passé près de quatre siècles à effacer toute influence amérindienne dans tout le nord de l'Amérique et encore plus en Amérique du Sud? N'avons-nous pas été si longtemps fidèles aux valeurs transmises par «maman Rollet»? Et voilà que nous avons atteint notre propre point de non-retour. Notre société occidentale et chrétienne, parvenue aux confins de ses propres valeurs, au bout de ce qui a été imposé aux autres, et à quel prix, ne semble plus pouvoir aller de l'avant. Depuis cinquante ans environ, nous nous sommes progressivement mis à redécouvrir ce qu'on avait si violemment occulté. On redécouvre enfin aujourd'hui, ces valeurs de l'Amérique initiale, de l'Amérique première sans lesquelles tout Américain qui se respecte ne peut vraiment marcher sur ses deux jambes.

Discutant récemment avec l'homme de théâtre d'origine huronne, Yves Sioui-Durand, il me disait que les Iroquoiens considèrent qu'il faut cinquante ans pour intégrer une réalité et cinquante ans pour la retransmettre. Sachant que les réserves, forme ultime d'occultation des valeurs amérindiennes premières, ont été créées il y a cent ans, nous sommes parvenus à la fin de ce cycle de maturation et de transmission. Alors peut-être, en ce début du XXIᵉ siècle, pouvons-nous, pour la première fois, établir un pont entre une Marie Rollet et une ancêtre Huronne.

Et leur trouver, enfin, quelque ressemblance...

SHAGAR AL DOUR

?-1257

*E*lle s'appelait «arbre de perles» et cela, bien sûr, nous fait rêver...

Sa vie sans doute ne fut pas aussi rêvée mais nous, vu d'ici, vu d'Amérique, et plus de quatre siècles plus tard, nous avons besoin de nous laisser transporter par l'Égypte. Nous ne savons pas grand-chose de la vie réelle de Shagar al-Dour, et peu de choses de la vie amoureuse qu'elle rêva et qui se finit en cauchemar. Les récits nous furent rapportés par les historiens qui accompagnaient Louis IX, saint Louis, lors des Croisades, et nous la décrivent déjà reine, déjà puissante et guerrière, et déjà dans la force de l'âge. Sur son origine exacte et les conditions de sa venue, peu de choses et surtout des probabilités.

Mais néanmoins elle fut une intrigante, et elle nous interroge toujours, ne serait-ce que parce qu'à travers son histoire apparaît une version différente des Croisades et surtout, une vision unique d'une reine musulmane régnant seule sur le devenir économique, stratégique et religieux du peuple égyptien majoritairement converti à l'Islam. Nous aurons ainsi trois exemples de grandes reines égyptiennes : une pharaon en titre, Hatchepsout ; une épouse d'un grand pharaon, Néfertiti et elle, Shagar al-Dour, reine musulmane du XIIIᵉ siècle. Toutes trois femmes de rêve, mais surtout femmes de tête.

Nous avons plusieurs fois ici évoqué l'Égypte comme terreau de naissance du christianisme puisque, effectivement, après avoir été terre des pharaons, l'Égypte a été la terre d'où est parti Moïse, mais aussi la terre d'exil de Jésus jusqu'à son adolescence ainsi que la terre d'accueil des Pères du désert et des anachorètes. Alexandrie notamment, pendant les premiers siècles chrétiens, avec Antioche et Constantinople, était l'une des trois grandes villes du christianisme. Mais ici nous sommes au temps des Croisades, et l'Égypte entre le Xᵉ et le XIIIᵉ siècle devient, avec Constantinople, le lieu de passage obligé des Croisés, le dernier rempart musulman aussi, avant Jérusalem. C'est dans ce contexte qu'il faut comprendre l'histoire de Shagar al-Dour.

En France règne Louis IX, connu comme saint Louis. Roi particulièrement pieux, désintéressé des aspects matériels, il n'en est pas moins le chef des Croisés, et Croisé lui-même ce qui est assez original puisqu'il est l'un des rares rois à mener lui-même croisade, à effectuer le long périple, par bateau, à cheval, à pied. Louis IX mène deux croisades au cours de son règne, emmenant toute sa famille: sa femme et ses enfants, et revenant d'ailleurs avec d'autres enfants... Pieux, secourable, il n'en est pas moins un guerrier convaincu de la foi catholique en lutte contre les Infidèles. C'est ainsi que l'histoire de Shagar al-Dour nous est rapportée par les historiens francs qui accompagnaient saint Louis.

Le Caire représente le lieu de «croisement des croisés», si j'ose dire, la dernière étape avant la Palestine, avant la traversée de la mer Rouge. Mais c'est aussi et surtout la première rencontre entre Croisés et Infidèles. Le Caire est donc toujours le lieu de guerres innommables et effroyables. Les Croisades, contrairement à ce que l'on peut apprendre de manière un peu bucolique à l'école, ce ne sont pas de jolies promenades apostoliques, avec des pèlerins pleins de foi décidés à convaincre les Infidèles de leur foi chrétienne. Loin s'en faut!

C'est la guerre, les massacres, les exterminations... une forme d'intégrisme chrétien. Les descriptions des historiens francs sont d'ailleurs épouvantables. Ce ne sont que suites de carnages dans le désert du Sinaï, des corps éventrés à perte de vue. Sous les ponts du Caire, dans le Nil, tellement de cadavres sont amoncelés que le fleuve ne peut même plus couler librement, provoquant des crues qui celles-là n'ont rien de naturel ni de bénéfique... Saint Louis, roi très convaincu de sa chrétienté chemine vers la Ville sainte, vers Jérusalem, accompagné d'armées redoutables.

Au printemps 1249, ils parviennent au Caire où ils se trouvent confrontés aux armées d'un prince ayyubide qui se trouve sur place et qui est, lui, un prince égyptien musulman – l'Égypte étant majoritairement musulmane depuis le IXᵉ siècle, malgré le métissage entre chrétiens et musulmans qui subsiste encore aujourd'hui.

Shagar al-Dour apparaît d'abord comme épouse de Mälik al-Salih, ce prince ayyubide en lutte contre les Croisés. Elle apparaît en tant qu'épouse en titre mais on ne sait pas exactement d'où elle vient, ni en quelle année elle est née. Elle serait arrivée là, plusieurs années auparavant, comme esclave au harem de Mälik al-Salih. On la décrit «belle comme un joyau de nuit», «scintillante comme un arbre de perles»... On en fait un personnage des *Mille et Une Nuits*, et conformément à ce conte oriental, conformément à une histoire qui s'est quand même beaucoup répétée dans les cours orientales, d'esclave elle devient reine. Quelque chose tout de même doit la sortir du lot, sa beauté sans doute, son mystère, mais aussi son intelligence et son sens stratégique aiguisé que Mälik al-Salih a du repérer et décider de s'adjoindre au plus près. Des qualités qui ne tardent pas à se manifester dans toute leur ampleur et qui font d'elle, cette fois, d'épouse en titre, reine en titre, chef des armées et chef des croyants. Les *Mille et Une Nuits*, toujours... mais Schéhérazade n'est-elle pas la plus grande politicienne de tous les temps?...

À la faveur de ce qui se passe à ce moment-là, Shagar al-Dour, telle Schéhérazade, trouve l'occasion de se révéler parce qu'elle est intelligente, habile, prudente et parce que c'est un fin stratège que cette femme-là: un stratège de guerre! Parce qu'elle est pieuse aussi et qu'elle incarne la foi et la résistance musulmanes, elle sait, au nom d'Allah, pousser les armées au combat.

À l'été 1249, Mälik al-Salih est fait prisonnier une première fois. Shagar al-Dour avec lui. Ils vont passer six mois dans un camp, prisonniers des Croisés. Mais ils parviennent à s'enfuir et à reprendre la lutte qui cette fois tourne à leur avantage. Les armées de Louis IX sont en déroute. Mais, alors que les Égyptiens tiennent un siège contre les Croisés, Mälik al-Salih meurt, heureusement dans sa tente, ce que personne ne sait sauf sa femme. Shagar al-Dour se trouve prise entre ces deux armées: les armées musulmanes dont elle doit entretenir le moral et l'ardeur, et en face, celles des Croisés auxquelles elle ne doit laisser aucune chance de victoire. Il n'est donc pas question que ni les uns ni les autres apprennent que le prince est mort. Alors, pendant trois mois, jour et nuit, elle donne les ordres, décide des sorties, constitue des plans d'attaque, des stratégies, mais aussi préside les prières pour les combattants musulmans, prétextant que Mälik al-Salih est malade, et qu'il l'a chargée d'être son intermédiaire...

Pendant trois mois, elle parvient à duper tout le monde. Un espoir ne la quitte pas: elle sait, elle s'en persuade, que son second fils, Turan Shah, qui est en route, doit arriver d'une semaine à l'autre. Et effectivement, Turan Shah arrive enfin au Caire pour recueillir une victoire qu'il n'a pas remportée, puisqu'il n'était pas là. À cet instant seulement Shagar al-Dour annonce la mort du prince et tous comprennent ainsi que c'est elle qui, en ces circonstances capitales, a remonté le moral des troupes, a incarné la foi musulmane contre les chrétiens, et s'est révélé fin stratège politique.

En ce mois de février 1250, les armées de Louis IX sont vaincues. Turan Shah jouit de cette victoire par procuration d'autant que Shagar al-Dour, conformément à la tradition, abdique en sa faveur. Néanmoins, à la guerre interreligieuse s'ajoute pour les Égyptiens une guerre interclanique que Turan Shah se trouve à mener. Le 30 avril 1250, il meurt de nombreuses blessures, brûlé et noyé. Il n'a régné que de février à avril 1250. À sa mort, l'Égypte se trouve désunie et désorientée, à un moment où elle ne peut se permettre d'être fragile ou incertaine, car la victoire remportée sur les armées croisées ne s'annonce que très momentanée.

Il faut une figure centralisatrice respectée par tous. Shagar al-Dour incarne cela, la force de l'union, la force de l'intelligence et de la foi musulmane. Elle est choisie par l'ensemble des clans ennemis, et couronnée, à titre personnel cette fois-ci, non pas comme régente, épouse ou mère. Elle devient reine d'Égypte en mai 1250.

Son règne, très court, marquera un temps de paix, de ferveur et de prospérité, dans la reconstruction du pays et la fin des guerres claniques. Dans les royaumes musulmans, la coutume veut que l'on grave la monnaie à l'effigie des souverains importants. C'est ainsi que l'on sait que son règne a compté pour la population puisqu'elle lui a rendu hommage : on a retrouvé des pièces de monnaie estampillées de son nom, mais non de son effigie ce qui nous rend son image toujours aussi mystérieuse. On sait également que lors de la prière publique du vendredi, le muezzin scandait son nom du haut des mosquées, l'invoquant au titre de «Lumière des croyants». Shagar al-Dour, qui sans doute à ce moment-là était une femme mûre, aurait ainsi pu régner jusqu'à la fin de ses jours, puisque son action est reconnue comme positive autant pour le royaume que pour la foi musulmane. Encore eut-il fallu que la passion ne s'en mêlât pas...

Y est-elle obligée par la tradition ou bien perd-t-elle la tête pour un homme... En tout cas, elle décide de se remarier le 31 juillet 1252, avec celui qu'elle nomme son régent. Ce régent, Aybak, est un calife abbasside de Bagdad, et donc Ottoman. Celui-ci se révèle vite banal et certainement pas de la même trempe qu'elle. Il se montre beaucoup plus intéressé par les bouffons, la nourriture, les femmes, les concerts de musique orientale, les plaisirs de la cour – enfin, tout ce qu'on imagine des *Mille et Une Nuits*... – tandis que Shagar al-Dour reste la stratège, et le commandant des Croyants.

Néanmoins, elle doit aimer cet homme forcément... sûrement un brin puisqu'en 1256 elle abdique en sa faveur. Aybak non seulement se retrouve ainsi au premier plan, mais décide dès l'année suivante, en 1257, de prendre une autre première épouse. Cet événement signe le début de la chute de Shagar al-Dour. Elle perd la tête. Elle est submergée sous le coup de ses émotions. Le 10 avril 1257, elle s'engage vers sa propre déchéance. Elle décide de faire étrangler le traître, l'infidèle. Elle va même jusqu'à l'achever de sa propre main en lui fracassant la tête à coup de socques de bois, ces *kabkab* que l'on chausse dans les hammams pour éviter de glisser sur la céramique embuée...

Quatre jours plus tard, le 14 avril 1257, la première épouse, sa rivale, la fait à son tour mettre à mort, frapper par des esclaves à coup de *kabkab*... Son corps est précipité du haut de la citadelle du Caire, nu, ce qui dans la foi musulmane, constitue la pire des offenses. La seule reine musulmane que l'Égypte a connue finit donc au fond d'un fossé. Lorsque le cadavre est décomposé, on le transporte dans le tombeau que Shagar al-Dour avait fait construire pour elle-même, indépendamment de celui de son premier mari Mälik al-Salih.

Aujourd'hui, au Caire, son tombeau reste visible. Shagar al-Dour figure même au rang des quatre protectrices de la ville, en compagnie de Nafissa, Atika et Rokayia. L'Histoire l'a donc réhabilitée à titre posthume. En cette plaque tournante des religions mondiales qu'est l'Égypte, Shagar al-Dour a incarné la résistance, résistance à la fois de la foi musulmane, mais aussi de la féminité au centre de la foi musulmane. Et, au XIIIe siècle, comme aujourd'hui, ce n'est pas une histoire banale...

Une histoire des *Mille et Une Nuits*...

CATHERINE DE SIENNE

1347-1380

*C*atherine de Sienne présente d'emblée l'image d'une femme forte.

Et pourtant son corps fut passablement affaibli par les jeûnes répétés, son âme soumise à des tourments qui ne trouvèrent de réponse que dans la quête mystique et les réalisations intellectuelles. Ainsi présente-t-elle l'image d'une femme forte, déterminée et active, d'une femme multiple aussi, et jeune puisqu'elle vécut environ 33 ans...

Il reste qu'elle a vécu intensément, passionnément. En ce milieu du XIVᵉ siècle, en tant que mystique et théologienne, elle tient une place majeure dans la christologie, représentant la parole et le sang du Christ. À l'époque, l'Église catholique est en crise, le pape se trouve d'ailleurs en Avignon. Catherine de Sienne ne cesse d'invectiver l'Église pour la forcer à se réformer et pour cela, à retrouver le sens de la parole du Christ. Reconnaissant enfin cela, en 1970, le pape Paul VI la proclame *Doctor Ecclesiae*, docteur de l'Église.

«Ne dormons plus, il est temps de se réveiller!» Ces paroles célèbres, témoignent de son originalité théologique et surtout de son engagement. C'est une femme engagée,

Catherine de Sienne. C'est surtout cela que j'aime à retenir d'elle. Claudio Leonardi, dans sa biographie, la décrit ainsi: «Poussée par son Dieu à affronter le monde, Catherine de Sienne fut immergée dans la politique par la parole, les lettres et la critique théologique directement adressée au pape». En ces temps où nous réfléchissons à la place des femmes dans l'Église romaine, son exemple reste précieux.

La date de sa naissance reste floue. Dans les biographies, on parle de «flexibilité historique». Elle serait née en 1347, selon son premier biographe Cafarini, mais certains soutiennent qu'elle serait née dix à quinze ans plus tôt... Une chronologie traditionnelle a néanmoins été adoptée qui retient 1347 comme année et le 25 mars comme jour de naissance.

Ce qui est certain, c'est qu'elle naît avec une jumelle, Giovanna. Elles sont les 23e et 24e enfants de leurs parents: la mère, Lapa da Nuncio Piagenti, et le père, Giacomo Benincasa. Des jumelles, seule survit Catarina; Giovanna meurt quelques jours après la naissance. Une autre légende affirme que Catarina aurait été la seule des 26 enfants du couple à être nourrie au sein de sa mère, Lapa.

Les Benincasa, par ailleurs, constituent une famille de *popolani. Popolani*, dans le contexte de Sienne du XIVe siècle, spécifie les «éligibles au gouvernement», qui sont généralement des commerçants négociants. Le père est d'ailleurs teinturier de laine et la famille habite *via dei Tintori*, donc, évidemment, en plein milieu d'un quartier artisan. Selon Cafarini, la famille Benincasa a réellement participé au gouvernement de la cité de Sienne, une cité prospère, notamment dans le domaine banquier, avec toutes les retombées financières et culturelles que cela suppose.

C'est une famille catholique, pieuse et pratiquante qui fréquente l'église-basilique San Domenico (Saint-Dominique).

Ceci est important bien sûr, puisque Catarina devient dominicaine, et que saint Dominique reste l'une de ses figures directrices majeures de son engagement, avec celle du Christ.

Le pape Clément VI se trouve donc en Avignon et ce, depuis que Clément V, en 1309, est contraint de fuir Rome en proie aux soulèvements populaires mais surtout à ceux de ses propres États pontificaux, en révolte contre lui. Il est finalement accueilli en Avignon par le roi français Philippe le Bel. Entre 1309 et 1377, date à laquelle Catherine de Sienne finit par persuader le pape de revenir à Rome, les papes vivront ainsi en Avignon. Catherine de Sienne reste donc indissociable de cet épisode déterminant de l'histoire de la papauté.

La vocation de Catherine de Sienne est précoce. À six ans, elle affiche les prémices de ce que sera sa vocation religieuse future. Très tôt, elle se sent dirigée de l'intérieur par des visions, par des illuminations. La première d'une longue série se situe donc à l'âge de six ans. Accompagnée de son frère Stefano, elle se trouve à l'église Saint-Domingue, abîmée dans une profonde prière quand soudain elle voit le Christ, siégeant sur un trône, revêtu des habits et des ornements pontificaux, et accompagné des apôtres Pierre, Paul, Jean et de saint Dominique. La petite Catherine voit le Christ s'approcher d'elle et la bénir. Dès ce moment, la fillette sait, d'abord confusément, ce que sera sa vie. Elle travaille à faire de cette inspiration une action mûrement réfléchie et fondée sur son immense connaissance. Toute sa vie, elle n'aura de cesse que d'inviter l'Église et la papauté à se conformer à l'action du Christ, Verbe de Dieu.

Cela détermine également son refus de la claustration monacale. C'est une caractéristique essentielle qu'elle partage avec Hildegarde de Bingen ou plus près de nous, mère Teresa. Catherine de Sienne est une recluse intérieure. On

emploie même aujourd'hui le terme de «claustration intérieure» pour différentes raisons que j'évoquerai plus loin.

Elle commence donc par vivre dans sa chambre amé-
nagée en cellule, mais non pas dans un couvent. Bien sûr, elle
ne prend pas cette décision sous le seul coup d'une inspiration, mais à la suite d'un événement malheureux qui la
frappe, qui la fauche littéralement, à l'âge de 15 ans. En
1362, sa sœur aînée préférée, Bonaventura, meurt en couches. À partir de ce moment, Catherine, qui suit jusque-là de
bon gré la vie sociale et mondaine propre aux jeunes filles de
sa condition en âge de se marier, connaît un véritable
schisme intérieur. À partir de la mort de sa sœur, elle refuse
toute vie extérieure. Pire, dans un geste de désespoir, elle
coupe ses cheveux qu'elle avait longs et abondants, se met-
tant ainsi sous le coup d'une autre réaction difficile et dou-
loureuse, celle de sa mère, Lapa. Disons tout de suite que
Lapa s'opposera obstinément, et jusqu'au moment où elle ne
pourra plus s'y opposer, à la vocation de sa fille. D'abord,
pour avoir coupé ses cheveux, elle punit Catherine en lui imposant les tâches ménagères, ce que Catherine fait de bon
gré. Mais surtout, redoutant la tendance à l'enfermement de
sa fille, elle lui interdit l'accès à sa chambre.

C'est une épreuve d'autant plus terrible qu'elle vient directement de sa mère. L'opposition maternelle a pour effet
de pousser Catherine dans ses derniers retranchements. Voici
ce qu'en dit la biographe Élisabeth Lacelle: «À partir de cette
épreuve, Catherine se fit dans son cœur, sous l'inspiration de
l'Esprit saint, une cellule bien secrète d'où elle résolut de ne
jamais sortir pour quelque raison extérieure que ce fut.» Une
cellule intérieure, avec des «complications» dirons-nous,
puisque Catherine de Sienne entre dans une période qui pose
encore problème aux théologiens d'aujourd'hui. Elle s'impose une sorte de jeûne permanent, et même Raymond de
Capoue, qui fut l'un de ses compagnons, se sent obligé de

justifier les jeûnes rigoureux de la jeune fille qui n'a alors que
16 ans. De notre point de vue contemporain, et sans que cela
entache la sincérité de sa mission spirituelle, nous appelons
cela «anorexie», avec ce que cela signifie de troubles psychologiques et notamment de relation conflictuelle à la mère et
au féminin. Sa vocation mystique néanmoins, qu'elle ait été
accompagnée de troubles psychologiques et d'anorexie ou
non, s'avère et se fortifie dans la claustration intérieure
qu'elle vit à ce moment-là, à l'âge de 16 ans.

Ceci constitue bien entendu une interprétation contemporaine, mais une interprétation reconnue, évoquée et dis-
cutée entre autres lors du colloque sur Catherine de Sienne
qui a eu lieu à Ottawa en 1995 sous l'égide du Collège dominicain. Évidemment, six siècles plus tard, un jeûne aussi rigoureux que celui que s'impose Catherine de Sienne, nous
l'appelons anorexie. Mais cela n'enlève rien à sa vocation et à
sa mission spirituelle qui se révèlent et se fortifient donc à
partir de 16 ans.

Vivant dans sa cellule intérieure, la jeune Catherine demande à devenir *mantellata*, c'est-à-dire membre de l'Ordre
de la Pénitence du Bienheureux Dominique. Elle veut donc
devenir dominicaine. Les *Mantellate*, eux aussi, la trouvent
eux aussi trop jeune. Sa mère, Lapa, continue de s'opposer à
sa vocation. De ce double refus naît encore une fois une situation tout à fait particulière: à partir de l'âge de 17 ans, en
1364, Catherine de Sienne est finalement reçue dans la Cha-
pelle de la Voûte, et assignée aux *Mantellate*, dans l'église San
Domenico, mais elle continue à vivre chez elle, «hors du
siècle», comme elle l'écrira elle-même. Elle réside dans sa cellule intérieure, dans sa chambre devenue une cellule amé-
nagée. Elle y reste entre 17 et 23 ans, six années pendant
lesquelles, selon Élisabeth Lacelle, Catherine de Sienne entretient «des conversations incessantes avec Dieu, Jésus-
Christ, la Trinité, Marie, les apôtres, et bien sûr, Dominique.

À cette époque, elle apprend à lire et à écrire.» C'est très important, parce que Catherine de Sienne devient ainsi une grande théologienne, une érudite, qui va parler, écrire, lire et enseigner. Elle reçoit l'instruction d'un dominicain qui est son directeur de conscience et son instructeur théologique, mais toujours en restant et en vivant chez elle.

À partir de 1367, on peut véritablement parler de l'éveil du ministère spirituel de Catherine de Sienne qui se sent et se voit épousée dans la foi par le Christ, et toujours selon Cafarini, son biographe, se sait mandatée par Jésus pour un ministère apostolique prophétique. Et elle se donne tout entière à cette nouvelle injonction du Christ. À 23 ans, elle pense devoir quitter la solitude de sa chambre pour s'engager dans une intense activité de miséricorde. Elle se déplace, inlassablement, dans les villages et les villes autour de Sienne. Elle va partout où, comme elle dit, «le mal doit être combattu». Elle connaît des extases, accomplit des prodiges, mais elle se trouve aussi, très vite, en butte à la calomnie.

Elle crée en effet une communauté mixte, d'hommes et de femmes de tous milieux et qui vivent leur foi et leur vocation ensemble. Tout cela dans une parfaite chasteté mais c'est évidemment assez original, assez audacieux pour l'époque pour qu'elle soit décriée. Elle n'en a cure. Au fond, Catherine de Sienne agit d'une manière virile. Ce terme est assez interrogeant pour que nous nous y arrêtions.

Jean-Paul II, qui aime beaucoup Catherine de Sienne, a lui-même écrit dans sa *Lettre aux femmes* du 29 juin 1995, que «Catherine de Sienne a suivi une voie virile et que sous sa dictée, la féminité a été dévalorisée par contraste avec la virilité qu'il faut déployer dans le combat spirituel...» Le pape emploie le terme exact de «virilité» parce qu'effectivement, selon ses paroles «la féminité est associée à la sensualité, alors que la virilité l'est à la raison». Là aussi, une lecture contemporaine de ces phrases accuse clairement la difficulté de Catherine de Sienne à accepter et à intégrer sa féminité, ce dont témoigne son rapport à la martyrisation de son corps de chair. Jean-Paul II, dont le rapport au féminin est pour le moins interrogeant, n'échappe pas lui-même à cette conclusion puisqu'il éprouve le besoin d'expliquer les paroles de Catherine de Sienne. Il dit que, d'un côté, dans sa valorisation de la virilité et du caractère viril de l'Esprit, elle n'a fait que suivre la droite lignée des Pères de l'Église, mais que dans sa vie, elle s'est néanmoins véritablement comportée comme quelqu'un d'original, parce que la *Bella Brigata*, la «Belle Brigade» ou la *Famiglia*, sa «famille», la fraternité mixte et ambulante qu'elle créé reste une innovation originale et choquante pour nombres de ses contemporains.

Au sein de cette fraternité, les femmes ont un rôle, et les femmes y sont reconnues à part entière mais au regard de leur capacité à mener une action virile, et non pas en tant que femmes. Je dirais même – et cela reste une question fondamentale du catholicisme d'aujourd'hui – que les femmes de la *Bella Brigata* sont valorisées pour leur capacité à faire abstraction de leur identité féminine voire, de leur appartenance à un sexe quelconque. C'est en tant que membres asexués d'une communauté charitable que les membres de la *Famiglia* de Catherine de Sienne mènent leur mission fraternelle. Il n'en reste pas moins que la structure est inédite et que Catherine de Sienne brave les préjugés de l'époque.

Mystique, érudite, enseignante, prêcheuse, chef d'une communauté mixte... Catherine de Sienne devient rapidement une médiatrice politique et ecclésiastique absolument incontestable, une grande directrice spirituelle. Il nous faut comprendre le contexte politique de l'époque. L'Italie et Sienne sont en proie à des déchirements politiques. Les coups d'état succèdent aux coups d'état. Elle-même est invitée par son peuple, qui la reconnaît comme telle, à servir de médiatrice dans les conflits entre les familles, mais également dans les conflits entre les États. En février 1375, par exemple, elle se rend avec son directeur de conscience, Raymond de Capoue, au bord de la mer, à Pise, pour prêcher en faveur des Croisades parce que Pise est un lieu de commerce important avec les musulmans. Autre exemple, celui des conflits familiaux dans lesquels son jugement est sollicité pour discuter de mariages, de dettes ou d'héritages. Sa notoriété, basée sur son érudition et sur sa sagesse, s'étend d'un bout à l'autre du pays et même au-delà des frontières. Elle enseigne également la théologie à Florence, ce qui reste véritablement rarissime dans les annales de l'histoire religieuse, le seul équivalent que l'on connaisse au XIVe siècle étant celui de Brigitte de Suède.

Elle accomplit ce qui reste bien sûr l'une de ses œuvres majeures. À partir de 1370, elle entreprend une médiation entre Florence et Avignon. Elle entreprend une correspondance avec le pape Grégoire XI pour le persuader de rentrer à Rome. Elle se décide à aller le chercher et le ramène à Rome en janvier 1377. Cette victoire est celle de son obstination, de son caractère novateur et de sa vision audacieuse de l'Église romaine à laquelle elle aura consacrée toute sa vie. Cela explique les hommages que tous les papes lui rendront au fil des siècles.

Au faîte de sa renommée, Catherine de Sienne s'éteint le 29 avril 1380 avec la certitude du labeur accompli. Et pourtant elle n'a que 33 ans, selon cette biographie officielle adoptée par le Vatican lui-même. Quelques mois auparavant, dans une de ses visions, elle a vu sa propre mort. En février 1380, tandis qu'elle prie à l'église, elle se voit crouler et être écrasée sous le poids de la voûte de l'église Saint-Dominique. Cette vision préfigure évidemment sa propre mort mais également la menace de l'effondrement de l'Église qu'elle redoute tant. Elle meurt quasiment paralysée, ne pouvant plus marcher ni parler. Elle s'éteint avec l'aurore du 29 avril 1380.

Elle est canonisée dès 1461 par le pape Pie II. En 1866, elle est proclamée copatronne de Rome, avec Pierre et Paul, par Pie IX. Elle est proclamée copatronne de l'Italie avec saint François d'Assise en 1939 par Pie XII, et enfin déclarée *Doctor Ecclesiae* en 1970 par Paul VI. Et, en 1995, Jean-Paul II en fait la figure centrale de la *Lettre* qu'il adresse aux femmes.

Et pourtant Catherine de Sienne n'avait pas d'idées véritablement féministes. Et pourtant, son corps de femme lui a posé tant de problèmes. Mais de cela aussi nous pouvons tirer un enseignement...

KATERI TEKAKWITHA

1656-1680

C'est une statue.

Avant de plonger sur le détail de sa vie, le nom de Kateri Tekakwitha n'évoquait pour moi rien d'autre que la statue qui se trouve dans le Vieux-Montréal, et dont l'original se dresse à New York. Et puis, heureusement, la statue s'est mise à bouger, à courir les bois, à braver les épidémies et les persécutions, pour se réfugier enfin sur les rives du Saint-Laurent. Une fillette, puis une jeune femme, portée par une conviction religieuse et un irrépressible désir de liberté, est apparue devant moi.

Rentrer dans son histoire, pour moi qui n'en avait jamais entendu parler, avant ce printemps 1999, c'est remonter aux débuts de l'histoire des États-Unis et du Canada, tant sa vie m'apparaît comme une personnification d'une Histoire beaucoup plus vaste. La vie de Kateri Tekakwitha, même avant qu'elle devienne Kateri par son baptême chrétien, relate les rapports entre les autochtones et les colons français et anglais qui arrivent en terre américaine à son époque. C'est donc l'histoire du choc entre ces deux cultures et ces deux spiritualités, choc qui déterminera l'existence de Kateri.

Lise Garneau la première, parmi d'autres Québécois, m'a par la suite avoué avoir été très étonnée d'apprendre les détails véridiques de sa vie, qui ne correspondent pas tout à fait à ce qu'ils savaient d'elle, selon ce qu'on leur avait raconté à l'école. Déjà tout simplement le fait que Kateri Tekakwitha soit née en 1656, mais pas au Québec.

Elle naît à Ossernenon, village mohawk de l'État de New York. Sa mère est une Algonquine convertie au christianisme et son père un Mohawk de la tribu des Agnier qui, lui, ne s'est pas converti. Le village d'Ossernenon est tristement célèbre pour les Algonquins qui détestent les Mohawks, violents et cruels, qu'ils appellent «les serpents», disant d'eux qu'ils «s'engraissaient à manger toutes les tribus autour d'eux». Ceci témoigne d'un contexte guerrier non seulement entre Français et Anglais mais entre tribus autochtones elles-mêmes. Ce mariage entre une Algonquine et un Mohawk apparaît donc comme assez exceptionnel.

Il s'explique par le fait que Kahenta, la mère de Kateri, est capturée comme cela arrive apparemment souvent entre tribus rivales. Kahenta est donc capturée en 1653 par des Iroquois et amenée de force dans leur village d'Ossernenon. Le chef Agnier du village tombe amoureux de sa captive. Il ne l'a pas fait capturer à cause de cela, mais il en tombe amoureux. Incidemment, sa femme légitime meurt, ce qui lui permet de prendre Kahenta pour épouse. Il doit être en effet très amoureux, car la religion chrétienne de sa femme, devenue dirigeante du village, ne semble pas le déranger, contrairement aux autres habitants qui en font la cible de leurs critiques.

Une petite fille naît donc en 1656. Evelyne M. Brown, l'une des biographes de Kateri, la nomme «Belle Journée», aucune trace de son prénom originel n'ayant été retrouvé. «Belle Journée» pour dire qu'elle est «claire et pure comme le matin». La petite vérole, tristement célèbre en ce XVIIᵉ siècle parmi les tribus autochtones, fait rapidement son œuvre. Alors qu'elle n'a que quatre ans, son père, sa mère et son petit frère encore nourrisson, y succombent. La petite fille survit à la vérole mais en reste défigurée, le visage gravement enlaidi. Orpheline, «Belle Journée» est immédiatement recueillie par son oncle, premier chef de la bourgade mohawk d'Ossernenon et surtout, ennemi déclaré de la religion chrétienne. Or, «Belle Journée» a été élevée par sa mère catholique et a donc passé quatre ans dans les rituels chrétiens, bien que les traditions algonquines et mohawks ne lui soient pas inconnues, et que d'ailleurs, elle les respecte. Grandir ainsi au milieu d'une tribu particulièrement opposée au christianisme qui incarne l'envahisseur ne doit certes pas être une sinécure.

L'histoire veut que des Jésuites entrent en contact avec la petite «Belle Journée» en 1666. Cela débute par un triste épisode. Une expédition punitive est menée contre ce village de Mohawks particulièrement guerrier. Le village d'Ossernenon est brûlé par les soldats. Un autre village est néanmoins reconstruit de l'autre côté de la rivière, toujours dans l'État de New York, et porte le nom de Gandaouagué.

Dans son nouveau village de Gandaouagué, il échoit à «Belle-Journée» de s'occuper des frères jésuites qui vont être installés là de force, à la suite de la défaite des Mohawks. En réalité on lui impose de s'occuper de ceux qui sont considérés comme les ennemis, de par leur religion et leur nationalité. Néanmoins, les deux tiers de la population du village sont constitués d'Algonquins et de Hurons qui ont été capturés par les Mohawks, et ces captifs sont chrétiens. «Belle Journée», malgré l'opposition de son oncle et tuteur, a donc tout le loisir d'entendre parler du christianisme et de Jésus. Elle sent la foi chrétienne s'éveiller et se développer en elle.

Au sortir de l'adolescence, vers quinze ans, «Belle Journée» vit la période la plus difficile de sa vie. Au sein du village mohawk, tous, et en particulier son oncle, désirent qu'elle se marie. À plusieurs reprises, on lui propose, pour ne pas dire qu'on lui impose, un époux. À chaque fois, elle résiste. Elle résiste tellement bien qu'on lui rend la vie extrêmement pénible. Christine Sioui, avec qui je m'entretenais de Kateri Tekakwitha, m'a dit croire «que la conversion de Kateri, c'était avant tout une recherche de liberté». On peut le comprendre. La condition des jeunes épouses mohawks n'a rien d'enviable. C'est une vie de labeur et de soumission, une vie que «Belle-Journée» perçoit pleine de souffrances qu'elle ne se sent pas prête à endosser. De plus, elle est fermement décidée à se convertir au christianisme. Sa résistance et son désir de conversion vont se conjuguer et faire d'elle l'objet de terribles persécutions au sein de son village.

On ne sait pas si elle veut se convertir pour ne pas se marier, mais elle fait véritablement l'objet de persécutions, et également de menaces de mort et de tentatives de viol. On lui rend vraiment la vie tout à fait infernale, à un point tel que son directeur de conscience, Jacques de Lambertville, l'un des Jésuites du village, lui conseille d'aller vivre à Sault-Saint-Louis, au Québec, sur les rapides de Lachine.

Pour pouvoir à la fois vivre sa foi et vivre sa liberté, «Belle Journée» est contrainte à la fuite. En 1676, elle parvient à se convertir. Le jour de Pâques 1676, elle est enfin baptisée et reçoit dès lors le nom de Kateri. Elle est prête à la fuite qu'elle organise pendant un an avec trois autres membres du village.

En 1677, trois néophytes autochtones et elle-même s'engagent dans un long périple, rendu encore plus périlleux par les neiges hivernales qui leur assurent de n'être pas poursuivies. Partis de l'État de New York, ils parviennent près de Montréal, au bord des rapides de Lachine. Kateri a gagné son pari. L'année suivante, en 1678, elle entre dans la Confrérie de la Sainte-Famille où elle fait aussitôt sa première communion. Elle a 21 ans. Elle rejoint la Mission Saint-François après s'être formée au christianisme auprès d'une amie d'enfance de sa mère, que le destin lui fait retrouver. Anastasie Tegonhatsiongo, algonquine et chrétienne comme sa mère Kahenta, lui assure que celle-ci aurait approuvé ses décisions. Elle la forme au christianisme sans que Kateri sache pour autant lire et écrire. En 1679, il lui est permis de prononcer privément son vœu de chasteté, pour lequel elle a tant lutté.

Néanmoins, pendant toutes ces années, elle continue à vivre selon les traditions indiennes. Elle participe aux chasses hivernales et à tous les travaux et rituels quotidiens. En elle s'allie les deux cultures : c'est comme si son quotidien était algonquin et sa foi chrétienne et ce, jusqu'à la fin de ses jours. Cet amalgame original la rend, à mon sens, très représentative de ce que pouvait être le Québec à l'origine.

Elle plonge néanmoins dans les excès de la religion chrétienne, ou du moins, dans une interprétation de celle-ci. Elle s'impose de terribles mortifications, se nourrit mal, s'épuise, achevant ainsi une santé déjà trop fragile. Jacques de Lambertville, son directeur de conscience, est obligé de lui interdire les mortifications qu'elle s'impose. Néanmoins, sa santé est ruinée. Elle meurt de maladie le 17 avril 1680, à 24 ans, en prononçant les noms de Jésus et de Marie.

On apprend dans les écoles québécoises, ou du moins le faisait-on auparavant, que Kateri Tekakwitha est morte en résistant à un viol. Il n'en est rien, mais cela n'efface pas les nombreuses occasions où elle a effectivement lutté contre le viol et les menaces de meurtre. Cela n'enlève rien surtout à sa résistance et à son audace, à la pureté de sa foi chrétienne dans laquelle elle a trouvé une chance de fuite, une occasion de vivre une existence plus conforme à son tempérament et à ses aspirations. Poursuivant cette vision du monde personnelle, elle est venue jusqu'au Québec. C'est ainsi que l'on peut voir sa statue sur la 5e Avenue à New York ainsi que dans le Vieux-Montréal.

Sa courte vie terrestre a néanmoins donné lieu à une véritable vénération posthume. À sa mort, un miracle a lieu. Son visage très abîmé par la petite vérole s'embellit dans les jours qui suivent sa mort. Les traces de petite vérole disparaissent complètement. Par la suite, des pèlerins témoignent de faveurs obtenues par son intercession, donnant ainsi naissance à la dévotion dont elle fait toujours l'objet. Une dévotion qui s'est répandue à travers le monde, surtout au Canada et aux États-Unis.

Chaque année, le deuxième dimanche après Pâques qui marque la date anniversaire de sa mort, des pèlerins de plus en plus nombreux, venus surtout des États-Unis et du Canada, Amérindiens ou non, se réunissent à Auriesville et à la Mission Saint-François-Xavier de Khanawake où sont conservées ses reliques. Elle est, par ailleurs, la première Amérindienne à être déclarée Vénérable par l'Église catholique.

Aujourd'hui, après l'avoir persécutée et menacée, ses anciens bourreaux sont les premiers à rappeler sa mémoire. Les Mohawks la nomment le «Lys mohawk». Après avoir vécu des années noires, «Belle Journée» est devenue une fleur, un lys blanc et pur...

Lorsque vous passerez par le Vieux-Montréal, observez sa statue, dressée non loin des édifices fédéraux...

Maintenant que je connais l'histoire, cette statue représente pour moi la fusion de deux cultures. Elle représente surtout une certaine liberté d'âme, et une certaine liberté d'être femme, même si ce n'est pas la mienne...

THÉODORA DE BYZANCE

(V. 498-548)

L e nom seul de Byzance évoque la richesse et le mythe...

Et pourtant, bien que la très longue période de suprématie byzantine reste occultée de nos livres d'histoire, l'Empire byzantin a bel et bien existé, et perduré 13 siècles durant, entre sa fondation en 395 par Constantin, devenu empereur de l'Empire romain d'Orient à la mort de Théodose, et la prise de Constantinople par les Ottomans en 1453. D'aucuns murmurent, des écrivains, des historiens, plus soucieux de l'Histoire que de l'image de l'Église romaine, qu'en 1453 les Génois, venus aider leurs frères chrétiens contre le Grand Turc, vendirent plutôt les clefs de Constantinople avant de déguerpir... Qui donc, sinon, aurait pu briser la fameuse chaîne qui protégeait l'entrée du port?...

La mémoire de Byzance évoque donc les intrigues mais aussi ses enjeux: la richesse et la croissance de l'empire. Du début de l'ère chrétienne à la fin du Moyen Âge, le Bosphore, la Corne d'Or, figurent de véritables cornes d'abondance d'où coulent l'or du commerce florissant du sel, des épices, de la soie, des pierreries, mais aussi celui, plus âcre, trempé de sueur et de sang, de l'esclavage et des guerres d'intérêt... À

Constantinople, les trottoirs ne sont-ils pas de marbre, les coupoles de cristal, les baignoires de porphyre, les coupes de vermeil et les habits de damasseries incrustées de diamants? Du moins, bien sûr, pour les puissants du monde... Et pourtant, en cette société nouvelle, il est aussi possible de devenir riche, puissant et respecté voire empereur, même lorsque rien dans votre ascendance ne vous y prédestine, car les lois de transmission ne sont pas encore aussi rigides et incontournables qu'elles le devinrent par la suite...

L'évocation de l'Empire byzantin reste donc immanquablement reliée à la prospérité, à l'expansion (l'Empire byzantin fut l'empire européen le plus étendu après celui d'Alexandre...), à l'invention du code juridique – celui de Justinien – mais aussi celui à l'effervescence architecturale et artistique, en particulier dans l'art subtil de la mosaïque. C'est aussi, et nous en avons vu une autre cruciale démonstration à travers l'histoire d'Irène de Byzance, le lieu et le temps de la rivalité politique et religieuse qui opposent douze siècles durant Rome et Constantinople ou plutôt, la bataille que mène Rome contre Constantinople pour récupérer à la fois – et peut-être surtout – la suprématie commerciale en même temps que la représentativité religieuse. Deux visions du christianisme, deux interprétations de la personne – divine ou humaine – du Christ s'opposent sans qu'il soit, à cette époque, question d'une quelconque tentative œcuménique, telle qu'elle semble tant préoccuper les différentes églises chrétiennes, trop longtemps ennemies, en cette veille de l'an 2000... À Constantinople, dans la salle d'audience de l'empereur, trônent trois sièges: celui de l'empereur, celui du patriarche, celui sur lequel repose la Bible. Et, à moins d'obtenir une audience avec l'impératrice qui elle, trône toute seule au milieu de ses mètres de pourpre, nul ne peut se dérober à ce pouvoir tricéphale, destiné à symboliser la Trinité sur terre. On peut comprendre la jalousie que le pape romain, et ses alliés vénitiens ou florentins, en éprouvent.

Byzance existe donc bel et bien et marque une période flamboyante dans laquelle les femmes jouent un rôle, une ascendance des plus rares et des plus importantes. Théodora bien sûr, mais aussi Zoé, Irène, Ana Comnène, de fortes personnalités, des têtes lucides et pleines, que l'on a dit redoutables, imbues de pouvoir, séductrices, empoisonneuses, tortionnaires cruelles et stratèges ingénieuses... À cause d'elles sans doute, Byzance acquit aussi cette réputation de trouble et de mystère, réputation terrorisante autant qu'envoûtante pour qui ne comprend rien au mélange de l'Orient et de l'Occident, au mélange de mysticisme et de paganisme, de grâce et de férocité qui caractérise encore cette partie des Balkans... Il y eut plusieurs grandes impératrices byzantines qui exercèrent leur pouvoir politique et religieux de manière tout à fait énergique voire sanguinaire. Cette longue bataille d'intérêts et de conceptions chrétiennes incompatibles finit d'ailleurs par mener à la scission de l'Église chrétienne originelle en deux Églises distinctes, la catholique et l'orthodoxe. Aux yeux des catholiques, les Byzantins, puis les orthodoxes, demeurent d'obscurs iconoclastes...

Parmi ces grandes figures d'impératrices byzantines, celle de Théodora flamboie par-delà les siècles de tous les feux de sa farouche ambition, et de tous les moyens, pour le moins surprenants, qu'elle prend pour parvenir à ses fins. Mais, moi qui suis macédonienne de naissance, lui jetterais-je la première pierre? A-t-elle le choix, dans ce monde d'hommes fait pour les hommes? Il m'apparaît sûr en tout cas, que Théodora n'est pas qu'une courtisane. Pas qu'une intrigante, pas qu'une terrible impératrice impitoyable et exigeante, prête à tout pour exercer son pouvoir absolu. Chez ce personnage ambigu, une dimension, certainement, nous échappe. Cette dimension de l'Ineffable qui, sans doute, au plus profond d'elle-même, la poussa sur la route de son destin. Cet alliage de mysticisme et d'absolutisme qui rend son histoire si incroyable, presque inhumaine en vérité... Cet alliage de parjure et de rédemption, de fiel et de foi qui, pour moi, signe immanquablement l'appartenance à cette partie du monde. Cracher par terre pour contrer le mauvais œil puis se signer trois fois de suite, de la droite vers la gauche, parce qu'Il vous regarde de Là-Haut, et que Son Jugement vous importe terriblement... même et surtout s'Il vous agace !

Pour certains biographes, Théodora figure au rang des «grandes courtisanes»... À bien relire sa vie, cet aspect ne m'apparaît que comme un détail de sa jeunesse, une illustration du non-choix imposé par la naissance. Pour d'autres, Théodora est surtout une ogresse du pouvoir et cela, sans doute, constitue une conséquence de la naissance, une revanche claire et nette sur les humiliations trop longtemps subies. Pour certains enfin, quelques insoumis, Théodora apparaît comme un instrument d'un *deus ex machina*, un doigt de dieu pointé sur elle et qui la pousse immanquablement sur la route escarpée de l'accomplissement. Poussée par un doigt invisible, et guidée par une conviction intime qui ne supporte aucune discussion, aucune contradiction... Poussée, forgée, modelée par plus loin qu'elle-même. Cette version reste la seule qui me satisfasse. Peut-être parce moi-même je ne parviens pas à imaginer qu'une femme du VIᵉ siècle ait pu décider d'un tel parcours par elle-même et surtout, le réussir de manière aussi spectaculaire... Sa vie, peut-être, se trouve-t-elle justement prédestinée par son prénom même si, dans cette région sud-balkanique, les Teodor et autres Teodora courent les rues ... *Teos*, Lui, Dieu. *Teo-dor, Teo-dora* ... les donnés de Dieu ... Et pourtant à l'origine, sa vie n'a rien d'un cadeau du ciel. Mais elle le devient et du coup, change à tout jamais les données du monde occidental...

Elle naît vers 498. Constantinople à l'époque, possède déjà la taille d'une métropole, plus de 150 000 habitants s'y croisent, ce qui, bien sûr, est gigantesque pour l'époque... La ville constitue le carrefour de tout le pourtour méditerranéen, le seul lieu de gloire, de prospérité et d'art qui soit à l'abri des invasions des Goths, Wisigoths, Francs et autres Vandales qui ont soumis tout le nord de l'Europe, au-delà de l'actuelle Italie. À ce titre, Constantinople attire les immigrants de toutes les régions limitrophes, mais aussi de pays plus lointains qui viennent y tenter leur chance. On pense que ses parents viennent grossir les rangs des immigrants vers la sixième année de vie de leur fille aînée Théodora. D'où viennent-ils? Le premier biographe de Théodora, Procope, reste assez incertain sur la question. Probablement de Grèce, ou de Macédoine, ou d'Asie Mineure bref, d'une des régions limitrophes intégrées à l'empire depuis trois siècles au moins.

Le père devient gardien des ours du Cirque Maxime, réplique exacte du cirque homonyme érigé à Rome. La famille, constituée des parents et de leurs deux filles, vit dans la pauvreté. Petite fille, Théodora subit l'humiliation de la disparité des classes d'autant qu'à la mort du père, la situation familiale devient critique. Assez pour que sa mère tente d'obtenir l'appui d'une des factions rivales qui s'opposent en des courses de chars au sein du cirque. Assez pour que Théodora n'oublie jamais la honte d'être rejetée et moquée dans l'enceinte même de l'arène par ceux dont sa mère quémande l'aide. Assez pour que plus tard, devenue impératrice, et les membres de la faction ayant oublié l'incident, elle décide d'exprimer son ressentiment.

C'est une petite fille impertinente et alerte, révoltée par les richesses inaccessibles qui s'étalent sans cesse autour d'elle; une petite fille très gracieuse, mais pas belle. On la décrit maigre et noiraude, pleine d'agilité et de souplesse, spirituelle, enjouée, fascinante pour les hommes, ce qu'elle ne manque évidemment pas de mettre à profit dès l'adolescence. Elle n'a d'autre choix que de se battre avec les maigres armes mises à sa disposition. Elle se retrouve ainsi danseuse de théâtre, pour tout dire prostituée parce que, bien sûr, qui est danseuse se retrouve ensuite avec le client du théâtre. Mais Théodora devient mieux qu'une obscure prostituée parmi tant d'autres. Elle devient La Grande courtisane de Constantinople, à l'époque, c'est-à-dire en ce début du VIe siècle, et ses conditions de vie, ainsi que celles de sa famille, s'améliorent grandement.

Elle aurait commencé tôt, vers 12 ou 14 ans et jusqu'à sa 21e année elle exerce cette activité de danseuse avec un succès grandissant. Ses biographes insistent sur ses réels talents d'actrice. On la décrit extrêmement attachée aux textes grecs anciens, dont l'Empire byzantin, la proximité aidant, est bien sûr l'héritier direct. La Grèce, en outre, appartient à l'empire. Théodora débite donc sa vie comme actrice et courtisane mais surtout comme une personnalité intelligente, qui sait, à l'époque, se maintenir à flots avec les moyens qui lui sont donnés. Jusqu'à l'âge de 21 ans, elle fait les nuits et les journées chaudes de Constantinople.

De ce monde de jeu, de plaisir, d'argent, comment découvre-t-elle le christianisme et comment s'y engage-t-elle à ce point?

À mon sens, l'histoire de Théodora illustre l'un des principaux aspects du christianisme: celui de la rédemption. On attend toujours plus ou moins la rédemption au sein du christianisme. Elle incarne en outre le christianisme originel, celui de l'ermitage et du désert, les anachorètes, le dénuement et la méditation sous le soleil impitoyable. Avec elle, on pense à Marie d'Égypte, à tous les anachorètes des plateaux anatoliens. D'ailleurs, à l'époque, l'Anatolie appartient aussi à l'Empire byzantin.

À 21 ans Théodora est enceinte. Cela sans doute lui est déjà arrivé plusieurs fois, mais jusque-là, elle a fait ce qu'il fallait... Cette fois pourtant, elle connaît une véritable crise mystique. Elle décide de garder cet enfant. Et elle part. Du jour au lendemain, elle prend un bateau, sans savoir où il va.

«Quelque chose» la pousse plus loin qu'elle-même, comme un appel, une vocation, une fascination peut-être pour l'inconnu qui néanmoins guide fermement ses actes. Il se trouve que ce bateau va justement en Égypte et, plus encore à Alexandrie, le haut lieu du christianisme naissant entre le IIIe siècle et le VIe siècle. Le lieu par excellence de l'incandescence chrétienne.

Parvenue à Alexandrie, elle suit les foules d'«illuminés» qui se rendent au désert et vit là une véritable métamorphose. En fait, elle doit errer un certain temps, rejoignant là encore cette dimension intrinsèque du christianisme originel, celle de l'errance, de l'illumination qui fait que l'on suit quelque chose, une étoile, un Bethléem intérieur, sans véritablement analyser ses actes. Elle s'en va à pied, enceinte, dans le désert égyptien, un lieu chaud, assez peu propice somme toute à son état!... Elle se retrouve à vivre avec les ermites dans le dénuement le plus absolu, dans l'incantation, le jeûne, la dévotion. Quelque chose s'opère, une transformation radicale, une transfiguration même, parce que son corps aussi change à ce moment-là. Elle a dû beaucoup maigrir, s'assécher, et pourtant elle est enceinte.

Ce vécu dans et par la chair correspond aussi beaucoup aux débuts du christianisme. On y retrouve textuellement les témoignages des mystiques des premiers siècles chrétiens, qui exaltent le rapport charnel au divin, le fait que la religion ne peut être vécue à l'extérieur de soi. Ceci explique en partie que les orthodoxes, fidèles à cette tradition originelle, n'ont jamais renoncé au mariage des prêtres. Pour les chrétiens du désert d'Égypte, la foi implique un corps à corps permanent avec Dieu. Et dans ce contexte, Théodora, chaste, comblée, illuminée, renaît à elle-même en même temps qu'elle donne la vie à une fille illégitime, qu'elle abandonne néanmoins presque aussitôt.

Elle s'embarque pour Antioche, actuelle Damas, toujours sous l'impulsion d'une intuition secrète. Elle y fait une rencontre déterminante: celle du grand patriarche de l'époque, Sévère d'Antioche. Celui-ci opère chez elle une véritable éducation. Ce qui était mysticisme et, je dirais, foi et illumination quasiment instinctives, se transforme en véritable éducation religieuse par le texte. Sévère d'Antioche lui apprend également à lire et à écrire, et cela est aussi déterminant pour la poursuite de son destin. Théodora apprend plusieurs langues. Elle reçoit l'éducation dont sa naissance n'a pas pu lui faire bénéficier autant sur le plan intellectuel que sur les plans culturels et religieux.

Elle reste plusieurs années à Antioche. C'est tout à fait une autre femme qui retourne à Constantinople: une femme formée, instruite, qui s'est découverte et qui a découvert en elle une foi farouche en même temps, sans doute, qu'un caractère qui était déjà là, mais qui a trouvé matière à mûrir. Lorsqu'elle revient à Constantinople, elle a presque 30 ans. C'est une femme mûre, assagie, «purifiée» dira-t-on, rédemptée sans doute, au sens strict du terme. Lorsqu'elle retrouve Constantinople, la capitale de l'empire se trouve au faîte de sa gloire et de sa prospérité, on l'a oubliée, personne ne la reconnaît et rien ne peut mieux servir ses ambitions. Théodora s'installe alors comme fileuse de laine. Elle l'ancienne courtisane adulée et choyée, devient la plus pauvre parmi les pauvres, vivant dans une bicoque, aux abords de l'illustre basilique Sainte-Sophie, au cœur battant de la riche métropole.

Quelques années auparavant, le nouvel empereur Justinien a succédé à son oncle, Justin. Ayant régné sur Byzance quelques décennies, Justin a abdiqué en faveur de son neveu, mais il est toujours vivant, et influent d'autant que son neveu, pourtant largement en âge de se marier, est toujours célibataire. Justinien effectue une tournée traditionnelle dans le quartier adjacent à Sainte-Sophie, dans lequel, dans l'anonymat le plus total, vit et travaille Théodora. Alors qu'il s'arrête devant sa maison, elle offre à Justinien un morceau de couverture qu'elle a filé et tissé elle-même. C'est un geste simple, on ne saura jamais s'il fut ou non prémédité. Justinien est frappé par cette femme. En tout cas, c'est ce que nous disent les biographes. Il revient à plusieurs reprises. Ils se revoient. Quoi qu'il en soit – Procope ne s'attarde pas sur les détails – de manière incroyable, dans les deux années qui suivent, Théodora, ex-courtisane, ex-anachorète, ex-élève de Sévère d'Antioche, ex-mère célibataire ayant abandonné sa fille, fileuse de laine frappée par la foi ... se retrouve ni plus ni moins qu'impératrice de Byzance!

La cérémonie de mariage débute au Cirque Maxime, devant la population réunie, dans cette enceinte même où elle a passé son enfance dans la pauvreté, l'humiliation et la tristesse. Le couronnement quant à lui a lieu comme il se doit à la basilique Sainte-Sophie. Justin, qui l'aime beaucoup, a spécialement, pour elle, aboli la loi selon laquelle les courtisanes, les danseuses... ne peuvent entrer dans les églises et encore moins accéder à un titre aussi important. Mais elle se rend à Sainte-Sophie au milieu des vivats de la foule qui, hier encore, la montrait du doigt. Elle y parvient! Elle est couronnée à Sainte-Sophie dont la construction vient juste d'être achevée.

Impératrice, elle exerce un pouvoir farouche, sur tous les plans. Elle se revèle fine politicienne, une stratège-née, logique, calculatrice, imperturbable, qui n'hésite pas à torturer, à tuer, à empoisonner, à enfermer dans les oubliettes. Elle jouit d'une influence considérable sur son mari. On murmure qu'elle dirige l'empire beaucoup plus qu'il ne le fait. Elle prend des décisions dont elle ne lui parle que lorsque c'est fini. Elle tient vraiment le pouvoir d'une main de fer. Par ailleurs, elle reste extrêmement élégante et soignée, et elle exerce une ascendance sexuelle sur son époux qui est sans doute importante.

En particulier, elle s'obstine à faire triompher ses visions religieuses qui, par ailleurs, représentent la différence et la suprématie de Byzance face au pouvoir du pape romain. Justinien se laisse influencer, convaincre, et reçoit le pape et ses représentants... Elle s'en montre choquée. Elle revendique pour sa part sa foi monophysite, c'est-à-dire qu'elle garde ce parti pris pour la personne divine du Christ, alors que le pape, et plus tard l'Église catholique, vont choisir la personne humaine de Jésus-Christ. Pour celle qui a été formée par le patriarche Sévère d'Antioche lui-même, qui a vécu cette période de transformation en Égypte, il n'est pas question de revenir sur le monophysisme. Elle a parfaitement conscience, comme Irène quelques siècles plus tard, que le pouvoir politique et économique de Byzance reste intrinsèquement lié à l'affirmation de cette différence religieuse. Et elle lutte. Contre le pape et ses représentants, mais également contre Justinien lui-même, qui se montre beaucoup plus soucieux de faire reconnaître la force de son armée et le bien-fondé de son nouveau Code juridique que de subtilités d'interprétations de la foi.

Un tremblement de terre se produit à Antioche. Antioche, qui est donc la deuxième capitale et le deuxième haut-lieu chrétien, connaît un cataclysme sans précédent. La ville est totalement engloutie. On dit à Théodora: «Voilà! C'est un signe de ton obstination et de la révolte de Dieu!» et évidemment, elle prend des mesures extrêmes contre tous ceux qui essaient de l'influencer à ce moment-là. On relate un autre épisode, parmi tellement d'autres, qui témoigne de son caractère et de son influence. Théodora a dompté plusieurs révoltes mais celle de Nika, le 18 janvier 532, reste inscrite dans les annales. L'émeute de Nika représente un moment très important dans l'histoire de Byzance, une insurrection devant laquelle Justinien a failli abdiquer et fuir. Par sa détermination et son courage, Théodora empêche cette reddition. «Pour moi je reste, car la pourpre est un beau linceul», lui lance-t-elle en public, obligeant son mari à renoncer à la démission qui le tente, aux vaisseaux qui l'attendent... Mais *Nika* signifie «victoire». En fait, la révolte de Nika signifie textuellement «la révolte de la victoire». L'adversité encourage et stimule toujours Théodora, ne lui donnant que plus de puissance encore, dans le domaine politique, militaire comme religieux. Grâce à elle sans doute, Justinien garde son aura jusqu'à sa mort. Grâce à elle, le pouvoir et la richesse restent à Constantinople pour quelques siècles encore.

Justinien meurt avant elle. Elle vit 50 ans conservant jusqu'au bout le pouvoir. Reste un détail intéressant. Elle garde, ou retrouve, le contact avec sa fille, de loin en loin, et finit par la faire venir à la cour. Et cette fille qu'elle n'a pas élevée lui donne un petit-fils. Elle a une influence extrêmement importante sur cet enfant. Elle s'arrange pour qu'il soit toujours dans ses parages et lui transmet énormément de sa propre éducation, assurant ainsi une certaine continuité, par sa descendance, même au-delà de sa mort.

Théodora la bien-nommée s'éteint en 548, sans doute respectée, mais surtout crainte par tous. Jusqu'au bout elle a été fidèle à sa destinée et à ses idées fixes qui en font une figure incontournable de la constitution du monde occidental contemporain. Une certaine idée du pouvoir, une certaine idée de la revanche, une idée certaine de l'expansion économique et territoriale. Une idée précise du christianisme, celle des mystiques et des ermites du désert sous l'inspiration desquels cette femme a accompli son destin.

WU HOU ZETIAN

624-705

*I*l y a deux impératrices chinoises: la première et la dernière.

Wu Hou Zetian est la première et comme l'autre, la redoutable Tveu Hi du tournant du XXe siècle, elle s'est hissée vers le sommet à coups d'intrigues, de cruauté et d'implacable lucidité.

Si je l'ai choisie ce n'est cependant pas par goût de l'excès ou de l'hémoglobine! C'est qu'elle a aussi révolutionné son époque, sur le plan économique et social, mais également spirituel en restaurant le matriarcat tout en introduisant le bouddhisme ce qui déjà, en soi, constitue un tour de force à l'issue tout à fait improbable. Et pourtant Wu Hou Zetian l'a fait marquant la Chine de son empreinte indélébile...

Wu naît en 624, au début du VIIe siècle. Elle va vivre longtemps, 80 ans, d'une vie intriguante et flamboyante. À sa naissance, la dynastie des Tang entre dans sa phase de déclin qui se caractérise par un important relâchement religieux et moral, un abandon progressif des anciens préceptes confucianistes, mais aussi par un déclin économique accompagné d'intrigues de cour. Une période somme toute assez médiocre. L'empereur en place, Taizong, a succédé à deux dynasties qui ont rétabli le patriarcat, ce qui n'a rien d'évident dans cette région du monde où le matriarcat, très longtemps, a été en place, même au sein du confucianisme, et où la place des femmes et des mères reste prépondérante.

Or, dans la Chine de l'époque, le patriarcat est défini comme le triomphe du Ciel sur la Terre, le triomphe du Soleil sur la Lune et en conséquence, grâce à un raccourci analogique, comme le triomphe du Bien sur le Mal. De plus, cette société patriarcale est organisée de la manière suivante: le pouvoir est masculin, et l'empereur règne sur une épouse légitime et un harem de 121 concubines, réparties en une vingtaine d'échelons... comme dans la plus impeccable des administrations... Les concubines grimpent d'un échelon à l'autre à l'ancienneté. Donc, une société à la fois assez médiocre, en déclin, mais en même temps, archaïque et rigide, qui ne nourrit guère plus de convictions, ni morale, ni religieuse, ni même philosophique comme c'était encore le cas au temps du confucianisme triomphant. L'influence du taoïsme semble tout aussi tarie. La fin de cette dynastie Tang sombre lentement dans un crépuscule évidé de toutes ses valeurs traditionnelles.

Un contexte mièvre, en demi-teinte, ou domine un pouvoir pâlot mais qui néanmoins exclut les femmes qui ne seront pas habiles à s'imposer. Les femmes semblent complètement exclues, au sein de la famille comme au sein du pouvoir, au sein de la cour impériale elle-même. Évidemment, ce qui peut leur arriver de mieux, c'est de donner naissance à des fils, et, si elles sont concubines, espérer monter en grade par l'ancienneté, à l'usure en quelque sorte mais, comme on s'en doute, l'âge n'arrange généralement pas les choses lorsqu'on est concubine. Le système, impeccablement orchestré, se révèle donc non seulement contradictoire, mais hypocrite.

C'est pourtant le chemin, ou l'escalier, que prendra Wu pour atteindre un certain pouvoir. Comme Théodora qui régna un siècle auparavant à Constantinople, les femmes qui prétendent à gravir les échelons n'ont d'autre choix que de passer d'abord par le statut de prostituée, comme Théodora, ou de concubine comme ce sera le cas de Wu. La route du pouvoir passe par le charme physique et la prouesse sexuelle, par l'intrigue aussi – l'intrigue de cour, l'intrigue assassine, la lutte sans merci pour un pouvoir absolu qu'il faut ensuite garder au prix d'une implacable intransigeance. Ainsi les aventurières de cette époque, VIe et VIIe siècles, apparaissent-elles comme des sanguinaires. Elles semblent pétries d'ombres et de lumières, baignées de trouble et ourlées d'esprit vengeur. Sans doute sont-elles portées à cela, mais il n'en reste pas moins qu'elles n'ont pas guère de choix.

La petite Wu naît donc en 624, dans la région montagneuse du Shanxi, au sein d'une famille aisée et noble, qui exalte sa beauté en la promenant le soir, à cheval, pour que tous, dans le village, puissent admirer son incroyable prestance. Petite fille, Wu est donc habituée à être exhibée comme un trophée. Et effectivement, elle est belle, très belle. Elle arbore une chevelure extraordinaire et sa beauté est rapidement remarquée. La renommée de la jeune fille arrive jusqu'aux oreilles de l'empereur Taizong qui la fait très rapidement, à l'âge de 14 ans, entrer dans son harem. Sa beauté et sa jeunesse plaident en sa faveur et, sans passer par tous les échelons évoqués plus haut, Wu arrive directement au quatrième grade, donc pas très loin du sommet. Elle ne restera pas d'ailleurs à cette quatrième place puisqu'en quelques mois, elle devient la favorite de Taizong. Elle est donc promise au meilleur des avenirs.

Pourtant, à la mort de l'empereur, elle connaît le destin de toutes les concubines. À cette époque, les 121 concubines et l'impératrice en deuil doivent se couper les cheveux et prendre la robe de bure pour le restant de leurs jours. Veuvage signifiant couvent, il implique également que les veuves devaient se raser le crâne. Voilà donc le terrible destin qui semble attendre Wu, alors âgée de 20 ans. Elle se retrouve enfermée dans un couvent, en robe de bure, chaque semaine supplémentaire la rapprochant du moment où l'on rasera sa magnifique chevelure. Gaozong, le fils de Taizong, en décide autrement.

En accédant au pouvoir, Gaozong se marie avec une impératrice légitime qui, rapidement, se révèle stérile. Et c'est l'épouse même du nouvel empereur qui la remarque, note son extraordinaire beauté et se met en devoir, pour sauver sa propre tête, d'intéresser son époux à cette femme. Il s'agit, même à cette époque, d'un inceste. Jamais une ancienne concubine, condamnée au veuvage et à la retraite, ne pouvait espérer sortir du couvent. Mais, à coups d'intrigues, la première épouse de Gaozong parvient à sortir Wu du couvent des veuves et à la ramener au sein du harem. Wu devient la favorite du nouvel empereur et donne bientôt naissance à un enfant... une fille.

Avec cette naissance débute le premier d'une longue série de complots qui conduisent Wu vers les sommets tant convoités. L'impératrice voyant qu'il s'agit d'une fille, est désespérée, elle voulait tant que, même par l'intermédiaire de la concubine, un fils assure la descendance de la dynastie et que Gaozong, rassuré, la laisse tranquillement finir ses jours. Car enfin, s'il a accepté d'enfreindre les lois ancestrales du harem, c'est au moins pour avoir un fils. L'impératrice fait assassiner la petite fille mais, tuant la petite fille de Wu, elle se condamne elle-même. Elle est assassinée dans les jours qui suivent.

Wu, qui rappelons-le est en principe condamnée au veuvage définitif, se retrouve directement impératrice, à 25 ans.

Elle prend le nom impérial de Zetian, qui veut dire «conforme à la volonté du Ciel». La cour et l'empereur Gaozong ne savent pas encore ce que le ciel leur réserve effectivement, parce que cette femme se révèle, prend le pouvoir et n'a de cesse de transformer de manière radicale la société qui s'ouvre à elle, et surtout de raviver les valeurs en changeant complètement le contexte religieux, le contexte moral, en plus du contexte économique et politique du pays. Et en premier lieu, elle décide de restaurer le matriarcat.

Ce retour au matriarcat s'effectue en plusieurs étapes et même pour elle, il n'est surtout pas simple d'y parvenir. Elle commence par faire des réformes humanitaires et morales très importantes, assurant ainsi ses arrières. Et une fois qu'elle est reconnue efficace et intelligente au vu de ces réformes économiques et sociales elle se trouve les mains libres pour instaurer des changements autrement plus dérangeants.

En 666, elle s'attaque ni plus ni moins au très ancestral et très immuable ordre des sacrifices. C'est un aspect essentiel de la société et de la pensée chinoises. Chaque sacrifice, chaque rituel revêt une valeur qui dépasse la portée religieuse, parce que le pouvoir est obligatoirement relié à l'exercice d'un pouvoir religieux. Changer la société chinoise implique donc de changer d'abord ses fondements rituels et religieux. En 666, elle impose un changement dans les sacrifices qu'on appelle Feng et Chang. Elle fait remarquer que jusque-là, enfin jusqu'à elle, tous les rites du Ciel relevaient de l'empereur. Elle ressort les textes taoïstes. Donc, c'est dire qu'elle les connaît et elle démontre à son époux, sur qui elle exerce une influence considérable, que les rites de la Terre reviennent toujours à la femme, parce qu'elle est le principe yin; et que s'il veut être conforté dans son principe yang, il doit respecter le principe yin de sa femme. Gaozong se laisse convaincre. Le rite de la Terre revient au principe yin, donc à

Wu Zetian. Elle devient prêtresse de la Terre et impose ainsi, *de facto*, le retour progressif vers le matriarcat.

En 674, Wu Zetian décide d'une autre transformation radicale: elle veut changer son titre. Elle est devenue prêtresse de la Terre en 666. En 674, elle fait remarquer à son époux que s'il est appelé Tianzi, c'est-à-dire le «Fils du Ciel», il est normal que son *alter ego* féminin s'appelle Tianhou, c'est-à-dire l'«Impératrice du Ciel». Là encore Gaozong accepte – malgré les réactions offusquées de l'entourage mais... de toute façon, si quelqu'un marque son désaccord, on le retrouve insidieusement dans une cuve de vinaigre, quand il n'est pas empoisonné... En 674, Wu Zetian règne donc sur la Terre mais également sur le Ciel dont elle devient par son nouveau titre, impératrice. C'est ainsi que petit à petit, elle se met à grignoter les fondements mêmes de la culture chinoise. Le retour au matriarcat est en bonne voie.

La rectification d'un titre stipule la rectification d'un rôle et donc l'établissement d'un nouveau pouvoir. À partir de cette époque, Wu Zetian ne se contente plus d'être entre terre et ciel ni même de personnifier la Terre. Elle devient le Ciel et la Terre! La tradition nominaliste de la Chine lui confère automatiquement une légitimité, une véritable reconnaissance aux yeux du peuple et cette reconnaissance lui laisse les mains libres.

En 675, elle peut édicter son programme politique personnel en douze points. Ce programme témoigne d'une analyse politique extrêmement fine, extrêmement importante, sur le plan économique et social, sur le plan militaire, sur le plan de l'éducation du peuple, des filles comme des garçons, ainsi que sur la question de la répartition des terres. Wu Zetian témoigne d'une vastitude de vues sur tous les domaines. Elle a des idées humanistes qu'elle va mettre à exécution. La Chine connaît un nouvel essor économique qui n'aurait pas eu lieu sans elle. Elle abolit le système des corvées et rétablit la prépondérance féminine dans les héritages et la gestion des familles. Ce sont là des bouleversements majeurs. Et enfin, elle instaure une sorte de service militaire par le biais duquel elle instaure une éducation morale obligatoire.

En 675, elle a 50 ans. Elle s'attaque au troisième pilier de la tradition chinoise, l'incontournable culte aux ancêtres. Quand en Chine on s'attaque au culte des ancêtres, c'est que vraiment on est arrivé au palier suprême. Elle impose, il n'y a pas d'autres mots, un deuil égal pour la mère et pour le père. Selon l'ancien culte des ancêtres, on devait porter le deuil pendant trois ans à la mort du père de famille. Porter le deuil, pour les Chinois, cela veut dire aller les cheveux défaits, pas lavés, les vêtements ouverts, dans un état de prostration, de dénuement et de pauvreté, pendant trois ans. Se mettre dans un tel état de délabrement au nom du père semble encore acceptable pour les hommes. Mais le faire au nom de la mère, il n'en est absolument pas question. Il n'a même jamais été question de cela, sous aucune dynastie. Wu Zetian impose un deuil identique de trois ans pour la mère et pour le père, et ceux qui refusent se voient retirer tout traitement et salaire. Par cette mesure drastique, elle impose le respect du deuil pour la mère.

Wu Zetian a la sagesse de s'appuyer sur les textes taoïstes, revus et réinterprétés par ses soins. Rien ne dit que tous ces changements soient ainsi imposés par le Tao mais en tout cas, par son intermédiaire, le Tao fait son retour dans le quotidien des Chinois. Wu Zetian en fait la base d'un retour à une morale qui sert ses intérêts, mais qui contribue néanmoins fortement à redresser la société. Sur la base de ce taoïsme matriarcal, le pays prospère et les femmes retrouvent un rôle important, au sein de la cour comme au sein de la société.

En 683, à 62 ans, Gaozong meurt. Wu Zetian est donc veuve pour la seconde fois, du fils de son premier mari. Selon la tradition, toute impératrice du ciel qu'elle est devenue, elle doit se retirer et finir ses jours au couvent. Elle n'en fait rien. Au contraire, elle profite de cette mort pour monter sur le trône, à la place de son mari. Néanmoins, elle est officiellement remplacée par son fils, (parce qu'elle a eu plusieurs fils), qu'elle a dominés autant qu'elle a dominé leur père. Et voilà que son fils aîné, Zhongzong, accède au trône bien que ce soit elle qui exerce le pouvoir. Ce Zhongzong se marie avec Dame Wei qui lui donne bientôt plusieurs filles.

Pour la première fois, Wu Zetian bascule dans l'excès. Effrayée par la concurrence potentielle de ses petites-filles, elle les fait assassiner. En particulier, elle ourdit un atroce complot contre l'une de ses petite-filles de 17 ans qu'elle considère comme étant capable de lui ravir sa place. Elle la fait supplicier et achever sur la place publique. Dame Wei jure sa perte sans que Zhongzong, empereur en titre, ne bouge le petit doigt. Ce sont pourtant ses enfants qui sont ainsi assassinées... À travers cet épisode, Wu Zetian se révèle prête à tout pour garder le pouvoir.

De plus, avec les années elle développe certains travers. Fébrilement portée sur les jeunes hommes, elle multiplie le nombre de ses amants dont elle se débarrasse aussitôt, de manière abominable. Cette impératrice vieillissante, qui a redressé et a changé la société dans laquelle elle vivait, a réintroduit le taoïsme et la morale, a redressé l'économie, et a replacé les femmes dans un certain contexte égalitaire révèle des facettes tout à fait détestables rendant l'avis du peuple finalement assez mitigé à son égard. Jadis on l'adulait. Vers la fin de sa vie, on la craint, et on se met secrètement à souhaiter sa mort.

Elle fait une autre chose essentielle. Au moment où son fils Zhongzong prend officiellement le pouvoir, Wu Zetian décide d'abolir la dynastie de son mari, celle des Tang en place à son arrivée. Elle a épousé un premier Tang, puis un deuxième. Son fils est un Tang et la voici qui décide d'abolir la dynastie des Tang pour fonder une dynastie personnelle. Jamais une femme, même une impératrice, n'a fondé une dynastie. Wu Zetian le fait. Elle fonde la dynastie des Zhou, imposant définitivement son nom dans l'Histoire de la Chine.

Et, dernière estocade, elle choisit ce moment pour imposer le bouddhisme comme religion d'état. C'est tout à fait stupéfiant. Le bouddhisme, évidemment, est né et s'est développé parallèlement au christianisme, mais dans deux régions distinctes de la planète. Le bouddhisme, au VIIᵉ siècle, est déjà très étendu en Inde et commence à peine à arriver en Chine et dans toute cette région de l'Asie du sud-est. Il remonte vers le Tibet où il s'impose à partir du XIᵉ siècle. Le Tibet est le dernier pays à être touché par le bouddhisme, mais c'est la région où il se développe pourtant le mieux tandis qu'il disparaît en Inde au profit de l'hindouisme. En Chine, le bouddhisme domine à peu près jusqu'au siècle dernier. Et c'est Wu Zetian qui l'a introduit comme religion d'État vers l'an 700.

Elle garde néanmoins les fondements moraux du taoïsme. Je pense que ce qui est important chez Wu Zetian, c'est que même à l'époque où elle réintroduit le taoïsme, elle le relit à sa manière, et en garde surtout les principes moraux et philosophiques fondateurs. Ce qui en revanche l'intéresse dans le bouddhisme, la première chose qui l'intéresse lorsqu'elle reçoit les missionnaires – elle qui a alors presque 80 ans – c'est qu'elle ne se résout pas à mourir. Elle ne veut pas mourir et surtout, elle ne veut pas que sa trace soit effacée. Elle trouve alors dans le principe bouddhiste de la réincarnation une source de réconfort et d'espoir. Ainsi, dans les dernières années de sa vie, Wu Zetian, Impératrice du Ciel selon son interprétation du Tao, se fait vénérer comme une réincarnation de Bodhisattva, Bouddha de la compassion... À se souvenir de sa vie et de la liste des exactions commises, le peuple chinois a sans doute bien du mal à voir en elle un Bodhisattva mais, enfin, qu'à cela ne tienne...

Sa seconde raison, plus contestable, de se convertir au bouddhisme, c'est que les émissaires bouddhistes, pour la plupart venus d'Inde, ont très bien compris sa nymphomanie. Ils lui envoient donc un très jeune moine bouddhiste qui, effectivement, finit par la convertir assez rapidement! Ainsi, en l'espace de quelques mois, Wu Zetian fonde la dynastie des Zhou et impose le bouddhisme comme religion d'État. Jusqu'au bout, elle a imposé des réformes et tenu les rênes du pouvoir absolu sans partage. Terrassée par une fièvre, elle n'accepte de démissionner en faveur de son fils que sur son lit de mort. Elle s'éteint en 705, à 80 ans.

Wu Hou Zetian est un personnage considérable dont on ne peut méconnaître l'histoire, ni l'impact transformateur sur la Chine mais aussi sur l'ensemble de la région, qu'elle a réformé, tiré du marasme moral et économique, et métamorphosé aussi sur le plan religieux. Le bouddhisme a partir de cette époque se développe dans tout le sud-est asiatique. Elle a transformé aussi les structures familiales et la place des femmes, même si cela ne dure pas.

Elle reste donc un personnage incontournable de l'Histoire de cette région qu'elle a ensoleillée de son intelligence et de son audace, mais qu'elle a aussi assombrie de sa soif de pouvoir personnel, un pouvoir hors de toute limite, à l'image du ciel qu'elle a voulu incarner.

MARGUERITE D'YOUVILLE

1701-1771

E lle est devenue religieuse «sur le tard» Marguerite
d'Youville...

Première travailleuse sociale du Québec, Marguerite
d'Youville fut d'abord épouse et mère avant de fonder son
œuvre, créer des liens plus harmonieux entre les différentes
communautés et travailler surtout pour les exclus.

Elle naît à l'automne 1701, à Varennes, à quatre lieues
de Montréal. On l'appelle «Margot de Varennes», dans la lignée de sa mère, Marie-Renée Gaultier de Varennes, qui
elle-même est petite-fille de Pierre Boucher qui a fait souche
en Nouvelle-France, et de son père, François-Christophe du
Frost de La Jemmerais. Le père vient de France. C'est un militaire qui a été envoyé là avec les troupes, selon la biographie
de Louis-Martin Tard, «pour mettre à la raison les guerriers
iroquois alliés des Anglais».

Cela situe tout de suite le contexte de ce début du
XVIIIe siècle, au cœur des luttes entre l'Angleterre et
la France, et des alliances des différentes tribus autochtones avec les uns et les autres. Selon Georges Langlois,
l'installation des Européens en Amérique, entre le XVIe et le

239

XVIIIe siècle a fait une cinquantaine de millions de victimes chez les indigènes, sur une population totale d'à peine soixante-quinze millions. Il faut donc bien prononcer le mot d'holocauste pour parler d'une déperdition des deux tiers voire, des trois quarts, des Amérindiens... Ceux qui restent ont-ils d'autre choix que celui des alliances, même dérisoires et bien qu'ils n'aient jamais cessé de lutter jusqu'à la création des réserves à la fin du XIXe siècle?...

Néanmoins, en 1701, quand naît «Margot», un pacte est signé à Montréal, par lequel guerriers iroquois, et ceux d'autres tribus, font promesse de rester neutres dans les luttes anglo-françaises. Néanmoins, l'économie de guerre reste l'une des principales sources de revenus de la Nouvelle-France, selon le vœu d'ailleurs de Louis XIV, qui dans le dernier quart de sa vie, s'intéresse de plus en plus à cette colonie dont il ne pensait pas qu'elle serait aussi prospère... Dans le contexte de cette paix momentanée entre Anglais et Français, les combats restent néanmoins larvés, et le père de Margot, M. du Frost de la Jemmerais est tué alors qu'elle n'a que sept ans.

Marguerite reçoit une éducation traditionnelle pour les jeunes filles de sa condition sociale. Elle apprend à lire et à écrire dès l'âge de six ans avec sa mère. Après la mort de son père, à l'âge de 11 ans, elle est envoyée au Couvent des Ursulines fondé par Marie Guyard de l'Incarnation à Québec. Elle est ainsi éduquée au couvent, non pas comme religieuse, mais pour y recevoir une éducation conforme à son niveau et à son statut, et à ce qu'on pense devoir être son avenir, c'est-à-dire celui d'une mère et d'une épouse tout à fait convenable de la Nouvelle-France de l'époque. Cette éducation stricte mais multiforme lui donne les bases de sa vie future.

Elle revient auprès de sa mère, à l'âge de 17 ans. En 1720 – Marguerite a 19 ans –, sa mère se remarie. Et elle se remarie – dans le contexte! – avec un Anglais, le docteur Sullivan, rebaptisé Silvain, pour tenter de cacher ses origines... Néanmoins, c'est un scandale. Et il est tellement important que d'une part, sa mère et son beau-père doivent partir pour Montréal, mais d'autre part, cela compromet le mariage que Marguerite devait contracter avec un jeune noble français. Elle part donc à Montréal pour vivre avec sa mère et son beau-père. À la faveur de toutes ces circonstances, sa vie va connaître un tournant essentiel.

Elle rencontre un beau jeune homme. Micheline Dumont nous apprend que les mariages de l'époque se contractent très tard: 22 ans en moyenne pour les jeunes filles et 26 ans pour les garçons, ce qui est relativement tardif. Marguerite est dans la moyenne: à l'âge de 21 ans, elle se marie avec François-Madeleine You de la Découverte qui, ne voulant pas se faire appeler You, transformera son nom en d'Youville... C'est sous ce patronyme sobre, que Marguerite Varennes du Frost de la Jemmeraie You de la Découverte!... connaît son essor et sa notoriété.

Son mari l'adore, l'adule. Extrêmement mondain, il est habillé comme on l'est à la cour de Louis XIV, avec force dentelles, rubans, chausses à talonnette, soiries et broderies... Marguerite en est subjuguée et elle-même devient très coquette à son contact, ou peut-être tout simplement pour lui plaire. Pendant huit années, Marguerite et François d'Youville jouissent d'une vie véritablement accomplie. Marguerite goûte une vie d'épouse, de jeune femme qui vit pleinement sa féminité. Et il n'est pas du tout question alors qu'elle crée un ordre religieux et qu'elle s'engage dans un travail en faveur des exclus. Elle a d'ailleurs des enfants de ce mariage mais comme souvent à l'époque, sur les six qui vont naître, seuls deux fils survivent; ils deviendront prêtres par la suite.

Déjà, trois ans avant la mort de son mari, en 1727, elle s'engage dans une communauté de femmes bourgeoises dont la vocation est d'aller prier et porter secours aux nécessiteux. Très vite, Marguerite d'Youville, qui est une femme de caractère et de tempérament, dit, toujours selon Louis-Martin Tard, qu'elle «ne veut pas être une simple visiteuse», mais qu'elle veut véritablement agir pour mettre en place des hôpitaux dignes de ce nom, tous délabrés à l'époque, et pouvoir accomplir un véritable de terrain en faveur de tous les exclus. En 1730, François d'Youville est assassiné, dans des circonstances mystérieuses qui néanmoins ont des conséquences sur la future réputation de sa veuve. Marguerite, pour survivre, garde la maison de la famille d'Youville à Montréal, et ouvre un petit commerce. Pendant sept ans, elle doit travailler très dur à sa survie et à celle de ses deux enfants. Nénamoins, son désir d'action sociale, pendant toutes ces années, va en s'amplifiant. Elle trépigne de changer de vie et de changer la vie des nécessiteux dont Montréal à l'époque est rempli. Le cheminement intérieur vers la fondation d'un ordre religieux mûrit.

En 1737 – c'est la date officielle de formation –, Marguerite d'Youville et trois compagnes, Louise Thaumur, Catherine Cusson et Catherine Demers, font vœu de pauvreté, de chasteté et d'obéissance, et fondent la Congrégation des Sœurs de la Charité de Montréal de l'Hôpital de Montréal, dites les «Sœurs Grises». On les appelle ainsi à cause de la couleur de leurs vêtements, mais surtout parce qu'elles subissent de plein fouet l'ancienne réputation de François d'Youville. Elles sont la cible d'une campagne de calomnies. D'une part, parce qu'il n'est pas habituel pour des femmes de leur condition de se consacrer aux exclus et d'autre part, parce que le mari de Marguerite d'Youville a entretenu un commerce clandestin d'alcool avec les Amérindiens, d'où le nom de «Sœurs Grisées»... Toutefois pendant 25 ans, elles

œuvrent, malgré l'opinion générale qui continue de les criti-
quer et de les calomnier. Elles tiennent bon et pendant toutes
ces années, elles tentent d'aider le monde qui les entoure, en
particulier bien sûr les enfants, les orphelins, puisqu'il y en a
énormément à l'époque, et puis les nombreux pauvres et les
exclus de cette société en pleine mutation.

Les *Engagements primitifs*, le texte définitif de la fondation de la communauté, est publié en 1745. Il leur faut néanmoins attendre 1753, et Louis XV, pour que la communauté
des Sœurs Grises soit officiellement reconnue, et aussi
qu'une ordonnance confirme Marguerite d'Youville à la tête
de leur hôpital. Entre-temps, elle est tombée gravement malade. Elle doit garder la chambre pendant près d'une dizaine
d'années, ce qui ne l'empêche pas d'être active, dirigeant la
communauté du fond de son lit où une infection du genou la
tient clouée.

Faisons un rappel des actions des Sœurs Grises. À travers ce résumé, apparaît l'ardeur sociale mais aussi l'esprit
original et visionnaire de Marguerite d'Youville qui n'hésite
pas à s'attaquer aux iniquités et aux préjugés de la société
montréalaise de ce milieu du XVIIIᵉ siècle.

En 1747, les Sœurs Grises accueillent les malades et les
miséreux des deux sexes. En 1750, elles accueillent pour la
première fois les jeunes prostituées. En 1751, elles fondent
un noviciat, assurant ainsi la pérennité de leur action. En
1754, elles accueillent des enfants abandonnés et donc, elles
créent le tout premier orphelinat de la Nouvelle-France. Il y a
beaucoup d'orphelins, à cause de la misère mais surtout à
cause du nombre inquiétant de veuves à la suite de la mort
de leurs époux au combat, mais aussi de mères célibataires
abandonnées par des soldats peu scrupuleux, en particulier
parmi les jeunes autochtones.

Nous sommes alors à la veille de la défaite des plaines d'Abraham, en 1759. Montréal va capituler en 1760, ce qui décuple le nombre de blessés et de nécessiteux dont la communauté doit s'occuper. Les Sœurs Grises constituent véritablement une congrégation très active pour l'époque. Néanmoins, Marguerite, dont la santé s'est dégradée au fil des années et qui garde donc la chambre de 1738 à 1744, meurt en laissant la Congrégation en pleine activité, le 23 décembre 1771, à l'âge de 70 ans.

Si la reconnaissance de son vivant fut longue à venir, elle jouit d'immenses honneurs et reconnaissances posthumes. En ce sens Louis-Martin Tard dit qu'elle fut «une sainte malgré elle». Parce que de son vivant, elle a été portée par la volonté d'aider et d'agir contre les inégalités de sa société. Sa vocation était d'abord une vocation d'aide et non pas une vocation à se faire remarquer en tant que sainte, ni même en tant que religieuse. Si son action avait pu s'inscrire dans une dimension laïque, chose inimaginable au XVIIIᵉ siècle, elle le serait peut-être restée...

Il faut atteindre 1898 pour que le pape Léon XIII la proclame vénérable mère, 1959 pour que le pape Jean XXIII la proclame bienheureuse, et 1990 pour qu'elle soit canonisée par Jean-Paul II, devenant ainsi sainte Marguerite d'Youville. Elle fut aussi à cette occasion proclamée Patronne mondiale des bénévoles des organisations caritatives, des organisations religieuses ou laïques et cela, sans doute, lui correspond-il le mieux...

J'aime à penser à elle comme à la première des bénévoles et en ces temps où nous parlons tant de l'élimination de toutes les discriminations, des organisations humanitaires et du devoir d'ingérence au nom de la paix et du respect des enfants, son nom, son histoire, sont à retenir.

CONCLUSION

J e ne pouvais évidemment pas être insensible au fait que mon premier livre publié au Québec paraisse justement en janvier 2000. Bien que cette date soit le résultat de divers impératifs éditoriaux, il n'en reste pas moins que ce choix d'Alain Stanké reste indissociable du symbolisme de renaissance de ce nouveau millénaire.

Et pourtant nous savons bien qu'il ne s'agit ni d'un nouveau siècle ni d'un nouveau millénaire. D'une part parce que seuls les Chrétiens seraient alors concernés par ce renouveau, d'autre part, à propos de chrétienté, parce que la seule chose que nous garantissent aujourd'hui les historiens, c'est que nous ne connaissons pas la date de naissance de Jésus sur laquelle plane une dizaine d'années de latence, qu'aucune preuve ne peut pour l'instant annuler. Soit. Mais les *Évangiles* nous disent clairement que Jésus est né au printemps sans que cela nous empêche de fêter le symbolisme de Noël, jour premier de la remontée du soleil... Nous ne fêtons que des symboles, la seule chose embêtante serait d'accepter de l'ignorer. En soit, l'An 2000 constitue un symbole fort, et pour nous incontournable.

Je n'y échappe pas.

«Si tu ne sais pas où tu vas, souviens-toi d'où tu viens» écrivait Aimé Césaire... Si «symboliser» signifie «voir des deux côtés» en même temps que «mettre de l'ordre» alors, pour cette double raison, il me semble «symboliquement correct» que ces *Aventurières* prennent leur envol avec le début d'une ère.

Venues du fond des âges et ayant traversé plusieurs millénaires, elles demeurent les témoins rassurants d'une altérité autant que les occasions d'une réflexion sinon d'une remise en question. Les valeurs qui ont marqué ce dernier siècle – le féminisme, la notion socialiste, l'accélération des moyens de communication et l'augmentation des disparités, la quête d'identité, la découverte de l'inconscient, la pérennité de la bestialité humaine parrallèle au développement des quêtes spatiales ou spirituelles, toute cette accélération du rythme de nos vies, cette dislocation de nos certitudes amoureuses et familiales ... les *Aventurières* en témoignent. Avec elles nous pouvons donc faire le bilan. Regarder des deux côtés, de chaque côté du cap de l'An 2000, avant de traverser. Elles nous tiendront la main. Et ne nous laisserons pas tomber.

Janvier 2000. Voici venu le moment des vœux. Recevez les miens.

Puissent ces *Aventurières* de leur démarche souple et altière, rageuse ou feutrée, fervente ou revancharde, compassionnelle ou sensuelle, mais toujours sincère et grandiose, accompagner vos pas en ce nouveau tournant collectif et individuel.

Puissent-elles vous inviter à rester optimiste bien que lucide, à croire en vous et en nous, et à aimer, encore ...

TABLE DES MATIÈRES